50
JEUX

POUR VOUS
ET VOTRE CHAT

50 JEUX

POUR VOUS
ET VOTRE CHAT

Jackie Strachan

Préface de Franny Syufy

© **Les éditions Lesmalins inc.**

info@lesmalins.ca

Éditeur: Marc-André Audet
Conception graphique et montage: Energik Communications

Dépôt légal – Bibliothèque et Archives nationales du Québec, 2009
Dépôt légal – Bibliothèque et Archives Canada, 2009

ISBN: 978-2-89657-023-2

© Ivy Press 2009

Imprimé en Thailande

Les éditions Les Malins
5372, 3ème Avenue
Montréal, Québec
H1Y 2W5

Sommaire

Avant-propos

J'ai toujours adoré la compagnie des chats ; l'observation de leurs jeux et cabrioles m'apporte depuis de nombreuses années de grands moments de joie. Quand ils sont vraiment concentrés sur leur activité, leurs contorsions sont comiques à observer.

Le chaton apprend à jouer avec sa mère. Cependant, il ne s'agit pas pour elle d'un jeu mais de l'enseignement de techniques de survie pour qu'il apprenne à établir son territoire et s'entraîne à chasser. C'est un besoin constant et bien réel, que l'on ait affaire au chat dorloté et nourri de mets raffinés ou au matou vivant en liberté. Leurs mères respectives leur montrent l'art de l'espionnage, du bondissement et de la capture de souris ou d'autres proies pour le dîner.

L'industrie ciblant l'animal de compagnie tient compte de cette réalité ; ainsi, joujoux, tours d'escalade et autres planches à gratter sont fabriqués pour satisfaire les instincts de survie du félin. J'ai cependant observé depuis longtemps que mes chats préféraient souvent le carton d'emballage au jouet sophistiqué que je leur offrais. Bien que nous ayons la satisfaction de dépenser des fortunes pour le bonheur et l'amusement de nos chers minous, ceux-ci n'ont que faire de la valeur marchande de leurs jouets. Ils savent ce qui leur plaît et cela n'est pas forcément l'objet le plus onéreux.

Le chat adore le délicieux bruit de froissement du sac en papier dans lequel il tourne après sa queue. Il s'excite à tapoter l'« oiseau » de feutrine colorée ou la pelote de laine qui a l'imprudence de voltiger à portée

de ses griffes impatientes. Les auteurs de *50 jeux pour vous et votre chat* tiennent compte de son goût pour les activités toutes simples. Les jeux inventés sont à la fois ingénieux et faciles à fabriquer, à base de joujoux et d'accessoires que l'on trouve partout et qui procureront à votre chat des heures d'occupation passionnante.

Si vous avez de l'imagination, vous pouvez ajouter votre touche personnelle aux créations de ce livre, comme par exemple des graffitis sur les murs de la prison (page 122) ou encore une minette blonde suspendue à une fenêtre du château fort (page 26). Vous pouvez aussi aligner des boîtes sans fond pour former un tunnel. Votre chat s'amusera autant quelle que soit la version. Vous le trouverez tantôt couché en rond dans sa prison après avoir attrapé ce coquin d'oiseau en laine, tantôt faisant une sieste dans son tunnel de carton après un jeu de cache-cache effréné avec l'un de ses frères.

J'ai apprécié tout particulièrement que l'accent soit mis sur la sécurité des jouets pour chats et j'aimerais que les fabricants en fassent autant. J'ai tellement vu de produits de fabrication médiocre dont les pièces se détachent et présentent un danger ! Les chats sont totalement absorbés par leur jeu, ils essaient réellement de « tuer » pour de bon leurs souris factices.

Peut-on dire qu'ils s'amusent en pratiquant leurs savoir-faire vitaux ? Je pense que oui, bien qu'ils n'en disent rien !

Franny Syufy

Introduction

Pour un chat, le jeu est très bénéfique – outre la stimulation mentale qu'il procure, l'exercice stimule muscles et tendons, améliorant leur tonicité ainsi que la circulation sanguine. Il aide également à souder votre amitié, en renforçant l'affection et la confiance mutuelle, il peut devenir une thérapie pour le chat timoré et renfermé en lui donnant de l'assurance ou en diminuant le stress d'une visite chez le vétérinaire.

SUIVEZ LES RÈGLES DU JEU

Pour retirer un maximum de bénéfices de votre séance, suivez ces quelques conseils en amusement félin :

- À quel rythme ? Vous pouvez jouer deux ou trois fois par jour, pendant 10 à 15 minutes, ou jusqu'à ce qu'il s'en lasse – vous comprendrez vite quand il en aura assez, soit il se détournera de vous et prendra la clé des champs, soit il vous oubliera pour faire une toilette méticuleuse.
- Quand ? Les chats sont généralement en éveil tôt le matin et tard le soir, alors 10 minutes de jeu actif avant de partir au travail et juste avant de vous coucher devraient favoriser un sommeil réparateur (le sien comme le vôtre).

- Votre chat est-il d'humeur ? S'il court dans tous les sens, les yeux pétillants, s'il saute en crabe en raidissant ses pattes, il est excité et prêt à entrer dans un jeu.

- Jouez avec lui. La plupart des chats s'amusent seuls, mais ils apprécient aussi d'avoir un partenaire. Il est bien plus drôle de chasser un bout de ficelle (que vous agitez), de pourchasser une plume (que vous balancez) que de stimuler un jouet inanimé déguisé en souris. Ne laissez pas un chat d'intérieur livré à lui-même tout le temps. Ce n'est pas juste.

- S'amuse-t-il ? S'il ronronne, si ses pupilles sont dilatées, il passe un moment agréable. S'il grogne, crache ou frappe le sol de sa queue, s'il commence à montrer les griffes, il est temps d'arrêter l'activité.

- Ne soyez pas l'éternel gagnant. Laissez-le avoir la satisfaction d'attraper la plume, la balle ou la pelote de laine de temps en temps, ou il s'en désintéressera rapidement.

- Renouvelez les jouets. Rangez-les à la fin de chaque séance et faites un roulement pour varier l'intérêt. Si vous en laissez un ou deux pour le jeu en solitaire, surtout évitez les ficelles ou pelotes qui pourraient être avalées et causer de graves dégâts (voir page 10).

- Les chatons sont-ils différents ? Les bébés et les jeunes sont d'ordinaire toujours prêts, alors que les plus âgés et les sédentaires préfèrent jouer moins souvent.

- Comment arrêter le jeu ? Si vous voulez clore la séance sans laisser votre chat en état d'excitation, ralentissez le mouvement que vous prêtez au jouet jusqu'à le laisser « mourir » doucement, comme une proie du monde extérieur.

Pensez sécurité

Sécuriser la séance de jeu est d'abord une question de bon sens, il s'agit de choisir les objets et les activités sans danger pour votre chat, de la même manière que vous le feriez pour un enfant, en appliquant les mêmes critères. Toutefois, vous devez être conscient de certains points supplémentaires spécifiques.

LA CURIOSITÉ PEUT TUER UN CHAT

Soyez extrêmement vigilant quand votre chat joue avec une ficelle, une corde, de la laine, etc. tout ce qui est long, fin et se balance sous son nez. Ne le laissez jamais jouer sans surveillance avec des jouets suspendus à une ficelle susceptible de s'enrouler autour de son cou ou de sa patte et de l'étrangler ou le blesser. Si un animal se sent coincé, sa réaction instinctive est de se débattre, ce qui aggrave la situation, en resserrant la prise qui peut aller jusqu'à le mutiler.

La plupart des chats sont très prudents, mais quelques-uns semblent faire un blocage mental en ce qui concerne la ficelle et la laine, qu'ils adorent avaler. Ils ne prennent même pas la peine de les couper en morceaux, mais en ingurgitent des mètres entiers. Cela peut causer de gros dégâts – et même être fatal – en atteignant les intestins. Si vous savez que votre chat en a avalé, si vous remarquez un bout de laine sortir de sa gueule ou de son rectum, ne tirez surtout pas dessus. Coupez-le plutôt et emmenez votre animal sans plus tarder chez le vétérinaire.

Vous ne devez donc jamais laisser votre chat jouer seul avec une ficelle, un ruban, un collier de perles, du coton ou autre, et il est important que ces objets quotidiens soient hors de sa portée.

Faites le tour de la maison pour éliminer toutes les tentations potentielles, comme les attaches pour rideau, les enrouleurs de stores ou les fils électriques – surtout si votre chat se plaît à les mordiller.

Faites attention également aux objets saillants qui pourraient le blesser. Gardez un œil sur ses jouets pour les remplacer dès qu'ils présentent des signes d'usure et de déchirures.

AUTRES OBJETS À SURVEILLER :

- Assurez-vous que les peluches sont lavables pour les garder toujours propres, et vérifiez que la garniture est bien contenue à l'intérieur. Sinon, jetez-la !
- Coupez toujours les anses des sacs en papier ou en plastique. Votre chat pourrait facilement s'étrangler avec l'une d'elles.
- Ne laissez pas traîner les sacs en plastique ; le danger est le même que pour un enfant, votre chat pourrait y entrer et s'asphyxier.
- Il en est de même des petits morceaux de plastique, les chats adorent les mordiller et peuvent les avaler. Ils sont également attirés par tout ce qui brille et crépite, éloignez les feuilles d'aluminium et les enveloppes à bulles.
- Si vous fabriquez un jouet à votre chat assurez-vous de toujours utiliser des matériaux non toxiques pour éviter qu'il ne s'empoisonne en le mordillant, et évitez d'y adjoindre des petits détails comme des moustaches par exemple, qu'il pourrait détacher et avaler.

JOUEZ EN TOUTE SÉCURITÉ

Ne laissez pas votre chat jouer avec des petits objets tels que les élastiques, les anneaux métalliques des canettes de boisson, les décorations de Noël, les trombones, épingles ou punaises, les ballons de baudruche dégonflés, etc. Enlevez tout objet potentiellement dangereux avec lequel il pourrait avoir envie de jouer : mieux vaut prévenir que guérir.

HERBE-AUX-CHATS ET PLANTES VERTES

Sans être accro à l'herbe-aux-chats, quelques-uns sont parfois stimulés à l'excès et peuvent se montrer agressifs. Utilisez-la avec parcimonie. Soyez attentif également à la toxicité de certaines plantes d'intérieur – lisez les étiquettes d'utilisation.

Le chasseur

Les chats sont des chasseurs naturellement doués et ils n'aiment rien tant que la traque et la poursuite. Vous pouvez canaliser cet instinct et cette énergie féline en vous assurant que le vôtre peut pratiquer des activités lui permettant de manifester son savoir-faire, sans blesser aucun autre petit animal du monde extérieur. Ainsi, chacun y trouve son compte.

Petits joujoux

Ce qui est intéressant pour le propriétaire d'un chat, c'est qu'il n'y a pas besoin de dépenser des fortunes pour lui permettre de s'amuser. Si vous avez envie d'acheter un arbre d'escalade élaboré ou un joujou sophistiqué, il en existe de vraiment magnifiques, mais votre petit compagnon trouvera tout aussi amusant de jouer avec des objets qui ne coûtent rien ou presque. En fait, vous pouvez lui fabriquer en quelques secondes des jouets de toutes sortes en utilisant les objets présents à la maison.

▼ CI-DESSOUS Le plus simple des objets avec lesquels votre chat s'amuse doit être suffisamment résistant pour supporter l'agression de ses dents et de ses griffes.

▶ CI-CONTRE La plupart des chats adorent tapoter un jouet suspendu ; il est inutile que vous achetiez quoi que ce soit – un bouchon au bout d'une ficelle peut faire l'affaire.

INTÉRÊT DE L'OBJET BANAL

Les petits objets légers, comme les anneaux de rideau en bois ou les pailles en plastique repliées sous différentes formes, font de bons jouets pour chats. Ceux-ci trouvent d'ailleurs souvent leurs propres joujoux, en s'intéressant à tout ce qui tombe au sol. Assurez-vous toujours que son nouveau « jouet » est sans danger pour lui.

SÉCURITÉ
Ne laissez jamais votre chat mordiller un objet assez petit pour être avalé car il pourrait s'étrangler ou se blesser. Les feuilles d'aluminium l'attirent par leur éclat et leur bruit de froissement, mais ne lui permettez pas d'en déchirer des morceaux (*voir page 11*).

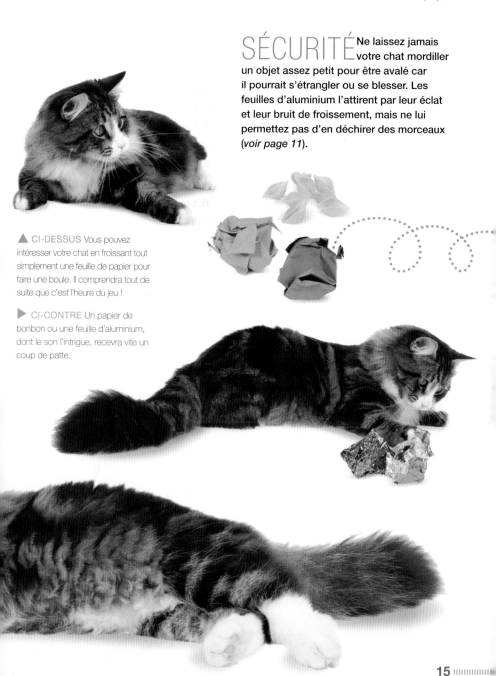

▲ CI-DESSUS Vous pouvez intéresser votre chat en froissant tout simplement une feuille de papier pour faire une boule. Il comprendra tout de suite que c'est l'heure du jeu !

▶ CI-CONTRE Un papier de bonbon ou une feuille d'aluminium, dont le son l'intrigue, recevra vite un coup de patte.

Ça roule

▲ CI-DESSUS Attrapée ! Mais pas pour longtemps – les balles ont une malicieuse tendance à s'échapper, et elles contribueront à exercer votre chat à l'étirement et à la course (et vous aussi par la même occasion, quand vous devrez les dénicher sous le lit, le placard ou le réfrigérateur).

es petites balles et autres objets ronds font d'excellents jouets. Un petit coup de patte suffit à les faire rouler à travers la pièce et voilà votre chat qui les poursuit dans une galopade effrénée. Les balles de ping-pong ont la taille idéale et sont suffisamment légères pour être propulsées sans effort. Les balles de golf classiques sont trop lourdes, mais celles en plastique présentent l'intérêt d'être également parsemées de trous dans lesquels les griffes peuvent se nicher ; le chat peut alors jongler et... attention sur le parcours !

◀ CI-CONTRE Vous n'aurez pas à fouiller la maison trop longtemps pour trouver de quoi amuser votre chat, mais assurez-vous que vos jouets improvisés soient propres et sans danger pour lui en cas de mordillements.

▼ CI-CONTRE Le jeu devient plus intéressant si vous faites rouler la balle sous une chaise ou derrière les rideaux. Cachez-la bien et votre chasseur intrépide prendra encore plus de plaisir à la retrouver.

▼ CI-DESSOUS Ne vous précipitez pas pour récupérer le jouet : votre chat est heureux de posséder son trophée et voudra continuer d'en profiter un moment.

Triviale poursuite

Les chats adorent l'excitation de la chasse, donc un jeu tout simple avec une souris en tissu ou en ficelle, ou la version mécanique pour une plus grande dépense d'énergie, obtient un succès immédiat. Bien entendu, une fois lancées, les souris mécaniques n'en font qu'à leur tête. Certaines ont un comportement erratique à souhait, changeant brutalement de direction comme des proies vivantes. Si vous voulez ce qui se fait de mieux sur le marché, il existe des machines télécommandées très ressemblantes qui peuvent offrir de grands moments d'exercice et de bonheur.

▲ CI-DESSUS Les chats « encouragent » souvent leur souris factice à bouger, juste pour continuer à la poursuivre.

◀ CI-CONTRE Concentré sur sa proie, les moustaches en avant, la queue frémissante, il prépare ses griffes pour une attaque éclair.

▼ CI-DESSOUS Une souris
mécanique peut échapper à votre
chat grâce à son parcours erratique,
mais pas pour très longtemps !

TU NE M'ATTRAPERAS PAS !

Vous pouvez imiter l'action d'une véritable souris
en faisant avancer une version mécanique le long
d'une plinthe. Installez une boîte en carton le long du
mur, pour qu'elle puisse « se réfugier » dans son trou
pendant que le chat la poursuit. Découpez le bord de la
boîte posé au sol pour que rien ne l'empêche d'entrer.

▼ CI-DESSOUS Après une
poursuite réussie, votre chat sera
heureux de garder sa récompense…
surveillez bien que l'objet ne se
détériore pas sous ses dents pour
qu'il n'en avale pas les morceaux.

C'est le pompon

Les chats aiment jouer avec des pompons de laine, irrésistibles dès qu'ils sont suspendus à une ficelle. Il est facile d'en fabriquer soi-même à la manière d'autrefois, en utilisant de vieilles pelotes. Vous pouvez en préparer plusieurs, car le jeu préféré de votre chat sera sans doute de les mettre en pièces. Nos petits félins adorent agripper les pompons dans leurs griffes et enfouir leur tête dans la douceur de la laine. Comme ils essaient souvent d'arracher les brins, prenez soin de serrer fortement le nœud central (voir encadré ci-contre) et surveillez le jeu pour qu'il ne dégénère pas.

▲ CI-DESSUS Coquin de pompon ! Vous et votre chat imaginerez de nouveaux jeux dans un feu d'artifice de boules colorées.

SÉCURITÉ

Restez avec votre chat tout au long de la séance parce que les pompons risquent d'être malmenés. Faites disparaître tous les brins de laine qui s'en échappent et ne le laissez en aucun cas les mordiller ni les avaler. Rangez ce qui est réutilisable et jetez le reste à la fin de la séance.

▲ CI-DESSUS La combinaison du pompon frisottant et de la ficelle qui se balance est tout simplement irrésistible.

▲◀ CI-DESSUS ET CI-CONTRE Enlevez les pompons si vous voyez que votre chat montre des signes d'agacement, pour éliminer le risque de désintérêt futur.

COMMENT FAIRE UN POMPON

Découpez deux couronnes en carton. Tenez-les l'une contre l'autre et enroulez fermement la laine autour. Vous pouvez changer de couleur en cours de route. Continuez jusqu'à ce que le trou soit rempli et le tour complet. Reliez le début et la fin de votre fil puis coupez les brins le long de l'intervalle entre les couronnes. Attachez solidement un brin de laine au centre, puis enlevez le carton.

▲ CI-DESSUS Tout d'abord, attirez l'attention de votre chat en faisant un léger bruit avec le jouet au bout de la ficelle.

▲ CI-DESSUS Une fois qu'il manifeste son intérêt, laissez-le avancer vers sa proie un instant avant de la tirer vers vous.

Bout de ficelle

Peut-être vous est-il déjà arrivé, en enroulant une pelote de laine, de sentir quelque chose bloquer votre geste ? Vous regardez à vos pieds et découvrez que le « quelque chose » en question est une petite patte de fourrure. Incapable de résister, votre chat bondit sur tout ce qui traîne par terre ou reste suspendu. Le jouet le plus classique et facile à fabriquer est bien celui où l'on attache un objet au bout d'une ficelle, que ce soit son joujou favori, un morceau de papier roulé en boule, une plume, un bouchon ou un pompon… Vous pouvez même ne garder que la ficelle en faisant des nœuds pour que votre chat puisse l'agripper par les griffes ou les dents.

▼ CI-DESSOUS L'appât peut prendre plusieurs formes – papier froissé, bouchon de liège, voire de simples nœuds sur la ficelle elle-même.

SÉCURITÉ

Peu de chats résistent à un bout de laine ou de ficelle, avec ou sans objet au bout ; ne laissez jamais votre animal jouer seul avec quoi que ce soit qu'il puisse avaler, car cela pourrait lui causer un grave problème (*voir page 10*).

▼ CI-DESSOUS Gagné !

▼ CI-DESSOUS Laissez votre chat s'amuser mais soyez vigilant et ne tirez pas brusquement sur le fil : songez qu'il pourrait l'avoir coincé entre ses dents ou ses griffes, ou enroulé autour de sa patte et vous risqueriez de le blesser.

Son truc en plumes

Il n'est pas surprenant que les chats aiment jouer avec les plumes, puisque c'est ce qui rappelle le plus la chasse aux oiseaux. Votre petit compagnon peut s'amuser sans affecter la population ailée de votre jardin. Essayez d'en agiter une derrière un meuble de manière à ne laisser que l'extrémité visible et regardez-le se préparer à la poursuite.

Les plumes sont fascinantes et séduiront votre chat si vous les installez dans un courant d'air. Vous pouvez en attacher plusieurs à un bâton que vous poserez sur une surface plate comme le plancher, une table basse ou l'allée du jardin.

▲ CI-DESSUS Agitez des plumes sous le nez de votre chat ou faites-en bouger une sur le sol pour l'inciter à la poursuite.

◀ CI-CONTRE Les plumes de paon sont fantastiques parce que leurs barbes sont très longues. Cela vous permet d'en agiter l'extrémité tout en gardant les mains hors de portée des griffes du chat.

▶ CI-CONTRE Vous pouvez acheter un mini-boa spécialement fabriqué pour les chats et résistant à la course poursuite et aux mauvais traitements – comme un serpent à plumes !

SÉCURITÉ Il est important que vous n'autorisiez votre chat à jouer avec les plumes que sous surveillance. Les barbes pointues peuvent le blesser s'il les avale. Faites attention également aux grandes plumes dont les bords sont susceptibles d'endommager ses yeux au cours du jeu.

COPAIN À PLUMES

Dessinez les gabarits d'un oiseau et d'une aile.
Découpez deux fois chacun d'eux dans un morceau
de feutrine. Cousez le bord arrondi de chaque aile sur
chaque oiseau. Assemblez ensuite à l'aiguille les deux
côtés en laissant un espace pour insérer une garniture
moelleuse puis refermez-le d'un point de couture.
Cousez une petite plume derrière chaque aile et
suspendez l'oiseau au bout d'un fil.

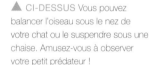

▲ CI-DESSUS Vous pouvez
balancer l'oiseau sous le nez de
votre chat ou le suspendre sous une
chaise. Amusez-vous à observer
votre petit prédateur !

Petit clin d'œil

Autrefois, quand les chats étaient chargés de débarrasser le territoire des rongeurs effrontés, depuis la plus pauvre masure jusqu'au palais le plus somptueux, leur rôle en tant qu'agents de contrôle des nuisibles les occupait et les maintenait en forme. De nos jours, les matous dorlotés n'ont plus besoin de gagner leur vie ni même de subvenir à leurs propres besoins, mais ils se plaisent encore à simuler un combat médiéval. Déposez une souris ou deux dans un château fort et sus à l'ennemi !

▼ CI-DESSOUS Attirez l'attention de votre chat en plaçant son jouet favori dans une cachette où il peut l'apercevoir. Les chats aiment les boîtes en carton et il est facile de les encourager à prendre un tour de garde.

▼ CI-DESSOUS Le château de votre chat doit être suffisamment solide pour supporter la pression de sa patte, voire le poids d'un assaut à grande échelle.

SÉCURITÉ

Il vaut mieux sécuriser le « château » en le scotchant au sol pour éviter que dans le feu de l'action, il ne glisse et heurte un meuble. Tout en lui offrant une construction robuste, assurez-vous que le dessus ne comporte pas de rebords coupants pour le cas où une attaque aux créneaux se terminerait en écrasement total.

POUR UN EFFET FORTIFIÉ

Pour que le château de votre chat soit très ressemblant, vous pouvez le recouvrir de papier spécial à décor de murs de pierre réservé aux amateurs de maisons de poupées. Un dessus crénelé complètera l'effet médiéval. Découpez un portail suffisamment grand pour que votre chat puisse voir à l'intérieur, et des ouvertures plus petites par lesquelles il pourra passer la patte pour essayer d'attraper la souris fugitive.

▲ CI-DESSUS Votre chat restera aux aguets près de l'entrée, à anticiper le moindre bruit ou mouvement à l'intérieur. Si vous avez attaché un fil à la souris, faites-la bouger par petits soubresauts.

▼ CI-DESSOUS Attrapée ! Toute cette patience porte enfin ses fruits.

La souris invisible

Voici une activité fantastique pour aiguiser les réflexes – les vôtres aussi bien que ceux de votre chat, si vous avez le courage de jouer à main nue. Selon son épaisseur, le matériau dissimulant la « souris » épargnera plus ou moins votre peau, mais il faut savoir que les griffes acérées d'un matou excité sont capables de faire perler le sang sur vos doigts à travers le tissu. Cependant, un stylo ou une règle en bois peuvent vous en protéger. Glissez la main – armée ou non – sous la couverture et remuez-la pour attirer l'attention de votre chat, puis observez ses réactions en vous préparant à un assaut vif comme l'éclair.

LA BESTIOLE

|||||||||||||||||||||||||||||||||||||||||||||||||||||||||||||||||||||||||||||||||||||||||||||||||||

Les chats inventent eux-mêmes leur version du jeu, ce que vous savez peut-être déjà si vos orteils ont subi une attaque surprise le dimanche matin au lit. Pour profiter de l'humeur joyeuse de votre petit compagnon, pensez à utiliser un objet intermédiaire, comme une paire de chaussettes roulée en boule par exemple. Soyez prudent comme d'habitude, sinon vos doigts et vos orteils pourraient bien être confondus avec le petit déjeuner !

▼ CI-DESSOUS Si votre chat réussit à voir vos doigts, il est sans doute grand temps que vous les retiriez !

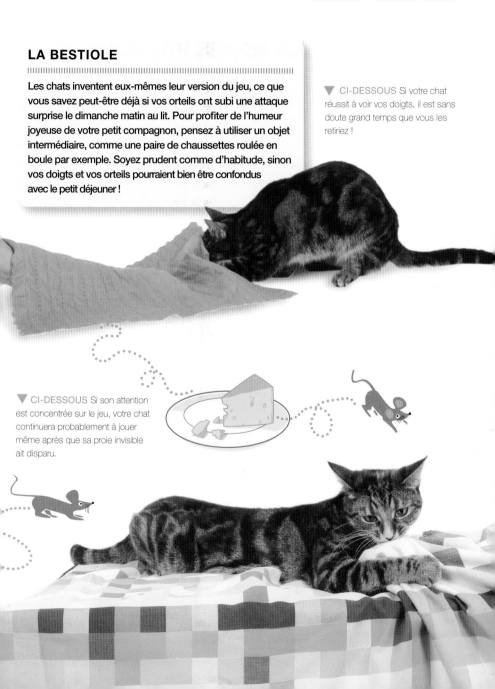

▼ CI-DESSOUS Si son attention est concentrée sur le jeu, votre chat continuera probablement à jouer même après que sa proie invisible ait disparu.

Quelles nouvelles ?

D'où vient cette attirance qu'ont les chats pour le papier ? Aucun d'entre eux ne semble pouvoir résister à une feuille étalée – que vous soyez en train d'empaqueter un cadeau, d'écrire une lettre ou de lire le journal, votre petit compagnon ne manquera pas de venir s'asseoir négligemment en plein milieu. Profitez de cet engouement pour jouer à chat perché, en prenant soin d'utiliser du papier dont vous n'avez plus besoin – le testament de l'oncle Arthur ou votre luxueux magazine de mode seraient vite taillés en pièces par ses griffes ravageuses.

▶ CI-CONTRE J'achète ou je vends ? Votre chat n'est pas vraiment en train d'investir dans les actions de sourisenboîte.com, il est seulement attiré par le bruit de froissement du papier journal.

D'UNE PIERRE DEUX COUPS

Pimentez le jeu en faisant mine d'écrire sur le papier ou en tirant une ficelle cachée dessous : votre chat ne pourra s'empêcher de bondir. Vous pouvez aussi prendre le journal par un coin et tirer lentement ou par soubresauts. Soit il attaquera directement, soit il se laissera remorquer avec plaisir.

◀ CI-CONTRE Essayez de récupérer doucement une ficelle cachée sous le journal – votre chat ne pourra pas l'ignorer.

▶ CI-CONTRE Faites un bruit de grattement avec l'ongle près du journal, mais tenez-vous prêt à retirer la main promptement juste avant l'attaque !

◀ CI-CONTRE Laissez votre chat mordiller le gant pour faire connaissance avant de commencer le jeu.

▼ CI-DESSOUS Balancez le gant près de lui et il réagira bientôt à l'invitation.

▲ CI-DESSUS S'il semble hésiter entre tous ces doigts, laissez-en seulement un à sa portée pour commencer, en gardant les autres repliés dans votre paume.

Drôles de doigts

Jouer à mains nues avec votre chat pourrait très vite se terminer par des larmes – qui ne seraient pas celles du félin ! Vous ne pouvez pas exiger de lui qu'il sache faire la différence entre votre main et sa souris factice quand l'une ou l'autre le nargue derrière un coussin.

Le cri que vous pousseriez en retirant vos doigts risque de le surprendre et de l'effrayer, voire de le faire décamper. Pour éluder ce problème, procurez-vous un gant spécial aux doigts très longs qui vous permettra de jouer en toute sécurité.

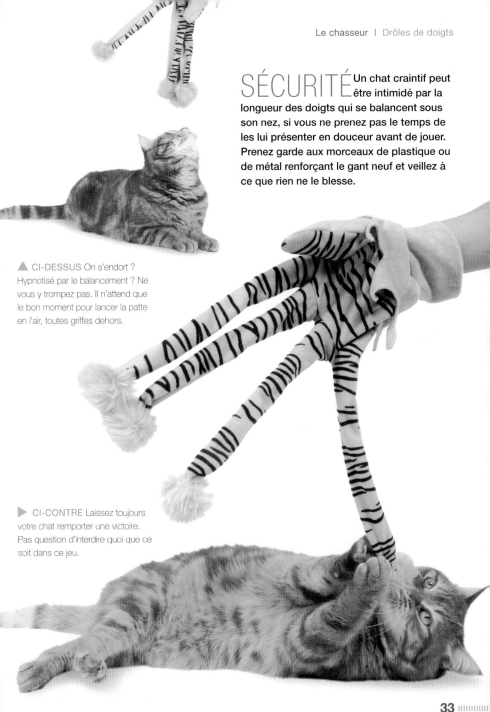

SÉCURITÉ

Un chat craintif peut être intimidé par la longueur des doigts qui se balancent sous son nez, si vous ne prenez pas le temps de les lui présenter en douceur avant de jouer. Prenez garde aux morceaux de plastique ou de métal renforçant le gant neuf et veillez à ce que rien ne le blesse.

▲ CI-DESSUS On s'endort ? Hypnotisé par le balancement ? Ne vous y trompez pas. Il n'attend que le bon moment pour lancer la patte en l'air, toutes griffes dehors.

▶ CI-CONTRE Laissez toujours votre chat remporter une victoire. Pas question d'interdire quoi que ce soit dans ce jeu.

C'est le pied

Parallèlement à vos doigts allongés (voir pages 32-33), pourquoi ne pas essayer d'étirer vos orteils également ? Vous pouvez adapter le gant renforcé en le portant au pied. C'est le jeu idéal pour lézarder devant la télé – vous n'avez même plus à lever le petit doigt, mais seulement un orteil ou deux. Enfilez le gant par-dessus votre chaussette, installez-vous confortablement et regardez votre émission préférée pendant que votre matou s'amuse. Il vous suffit de secouer le pied par moments pour aiguiser son intérêt en mettant en mouvement les quelques joujoux suspendus aux extrémités.

▶ CI-CONTRE Attachez à chaque orteil un petit objet léger, comme une balle de ping-pong, un bouchon, une plume, un papier de bonbon froissé.

SÉCURITÉ Ne tenez pas le pied trop en hauteur de peur que votre chat ne s'excite et n'en vienne à sauter et gambader dans tous les sens. Posez plutôt le talon sur une table basse ou sur une boîte et le jeu sera bien plus agréable pour vous deux. (*Voir page 33 la sécurité relative à cette activité*).

▲ CI-DESSUS Les jouets en papier font un bruit de froissement quand on les tape, alors que les objets en bois claquent sans prévenir contre les pieds de la chaise, renforçant l'intérêt de votre chat.

Manège enchanté

Cette version féline du tapis d'activité pour bébés tire son inspiration d'une crèche de notre connaissance. Il vous suffit d'attacher quelques petits objets à des brins de laine, de ficelle ou de ruban et de les fixer sur un support assez lourd pour ne pas se renverser – une chaise en bois massif par exemple – et votre chat aura le choix parmi un assemblage hétéroclite de joujoux colorés suspendus à des hauteurs différentes, ce qui lui permettra de jouer dans toutes les positions. N'hésitez pas à varier les plaisirs, en utilisant à la fois ses jouets préférés et certains petits objets récupérés dans la maison.

SÉCURITÉ

À la fin de l'activité, enlevez les jouets que vous interdisez en votre absence. Si vous décidez d'en laisser quelques-uns, assurez-vous qu'ils sont solidement attachés à leur ficelle, elle-même bien fixée au support. Certains chats mangent la laine, ce qui est très dangereux pour eux (voir page 10).

▶ CI-CONTRE Évitez d'exposer votre mobilier de valeur pour cette activité, au cas où votre chat déciderait de se faire les griffes pour clore le jeu.

CHAT-MOBILE

Vous pouvez également fabriquer un mobile tout simple en suspendant quelques jouets aux extrémités de deux baguettes de bois clouées en croix, ou bien un système plus élaboré que vous suspendrez sous une porte ou une fenêtre. Les mobiles bougeront au moindre courant d'air, attirant immédiatement l'attention de votre chat. Pour un effet nocturne garanti, accrochez des petits objets fluorescents que la brise viendra caresser.

◀ CI-CONTRE Tout ce qui passe à sa portée est immédiatement inclus dans le jeu, alors variez couleurs et hauteurs pour entretenir son intérêt.

Le sensuel

Les chats sont esclaves de leurs sensations et s'il est une chose qui leur procure un plaisir maximum, mis à part de rester allongé sur leur coussin préféré auprès d'un bon feu, c'est bien l'herbe-aux-chats. Il existe de nombreux jouets du commerce qui en contiennent déjà, mais vous pouvez également en ajouter aux autres pour les rendre irrésistibles. Ne vous alarmez pas si votre petit compagnon se montre un peu trop démonstratif à son égard – l'herbe-aux-chats n'est pas une drogue et reste complètement légale !

Herbe folle

Comment transformer l'immonde crapaud en prince charmant selon les chats ? Pour la plupart de nos amis félins, l'herbe-aux-chats a le pouvoir de métamorphoser la pire des souris déglinguées en objet de convoitise. Si votre petit compagnon dédaigne le jouet musical et tournoyant que vous avez payé très cher à son intention, cette herbe magique peut lui conférer une vraie valeur à ses yeux. Il existe déjà une multitude d'objets du commerce qui en sont remplis, mais vous pouvez aussi opérer vous-même. L'herbe-aux-chats s'achète sous différentes formes – séchée, en poudre, en vaporisateur – ou à faire pousser pour l'avoir toujours fraîche. Malgré son effet euphorisant, la Nepeta cataria est sans danger et sans effet d'accoutumance. Que vous la cultiviez en pot ou en pleine terre, assurez-vous de choisir une variété odorante et non pas purement ornementale.

▲ CI-DESSUS L'herbe séchée ou fraîche (dont vous pilez les feuilles avec précaution) est la plus facile à utiliser, mais elle existe également en poudre ou en spray concentré.

▼ CI-DESSOUS L'herbe magique rend le jeu plus excitant – elle peut toutefois mener à l'agressivité chez certains chats. Le serpent n'a aucune chance !

SÉCURITÉ

L'herbe-aux-chats a un effet stimulant qui risque d'accélérer les battements cardiaques. Mieux vaut éviter d'en présenter aux chats âgés ou corpulents, susceptibles de faire un malaise, surtout s'ils s'excitent facilement.

▼ CI-DESSOUS La proie est sous contrôle, votre chat peut profiter à loisir de la sensation enivrante qui s'en dégage.

▼ CI-DESSOUS Minou jouera tout seul avec grand plaisir jusqu'à ce que l'effet magique se dissipe petit à petit.

▲ CI-DESSUS Zébré, allongé, ondulant… même le jouet le plus repoussant peut devenir irrésistible avec un peu d'herbe magique !

SERPENT « BRUISSEUR »

Le serpent à rayures est facile et rapide à fabriquer à partir d'une paire de collants de fillette, rempli et resserré en différents endroits pour une plus grande mobilité et pour lui conférer des positions apparemment « reptiliennes ». Chaque segment est rembourré de petits morceaux de collant découpé, de papiers de bonbons et bien sûr d'herbe-aux-chats. Ainsi, le serpent semble réagir quand il est « attaqué » par le chat.

Gant de velours

Voici un autre jouet très simple à fabriquer. Saupoudrez d'herbe-aux-chats un peu de paille ou de raphia, remplissez-en un vieux gant de laine ou de tissu que vous refermez par une ficelle ou un cordon solide. Rembourrez bien jusqu'au bout des doigts pour le cas où le jeu serait agité. Si l'herbe-aux-chats devait tomber du mélange avant que la paille ne soit insérée, essayez de la pulvériser directement dans le gant avant de le remplir. Quand le jeu commence à perdre de son intérêt, il vous suffit de renouveler l'herbe. Pour cela, ouvrez le poignet, sortez le mélange et secouez l'ancienne pour la remplacer par de la neuve.

▼ CI-DESSOUS Montrez le gant à votre chat pour qu'il sente son odeur. Il s'approchera et commencera à le prendre dans ses pattes pour y frotter sa tête.

◀ CI-CONTRE Vous pouvez jouer de la même manière que d'habitude, en éloignant le gant pour inciter votre chat à l'attraper. Ce jouet sent tellement bon qu'il ne voudra plus le lâcher.

TROP FACILE !

Vous pouvez remplir chaque doigt d'un matériau différent pour varier les bruits de froissement et rendre le jeu plus intéressant. Essayez des papiers de bonbons, des morceaux d'enveloppe à bulles, de serviette ou d'emballage en papier, et pourquoi pas des feuilles mortes ou de l'herbe sèche ?

▼ CI-DESSOUS La forme généreuse et potelée offre à votre chat le loisir d'agripper et de mordiller les doigts.

SÉCURITÉ L'herbe-aux-chats peut dévoiler le fauve caché derrière le plus paisible matou et révéler son agressivité. Utilisez-la avec précaution ou renoncez-y si elle a un tel effet sur votre chat. Elle peut également stimuler son appétit, attention à ceux qui ont tendance à l'embonpoint.

▶ CI-CONTRE Un oreiller rempli d'herbe-aux-chats est un bon moyen d'occuper votre petit compagnon. Inutile d'ajouter des jouets, l'odeur suffira à le stimuler.

Rêves charmants

On pourrait croire qu'un oreiller rempli d'herbe-aux-chats induit les rêves les plus doux, mais il n'en est rien, car l'odeur qui s'en dégage stimule beaucoup trop les chats pour leur permettre de s'endormir. Voici une activité très facile à organiser – il vous suffit d'un vieux coussin ou d'un oreiller. Saupoudrez-le d'herbe-aux-chats ou, si vous craignez le désordre, déposez-en à l'intérieur. Il existe dans le commerce des coussins rembourrés tout prêts, mais il est facile d'en fabriquer vous-même que vous pourrez d'ailleurs réapprovisionner quand l'odeur s'estompera. Une bonne épaisseur assure à votre matou une surface moelleuse sur laquelle se rouler et se frotter. C'est le plus doux des rêves félins !

▼ CI-DESSOUS La réaction instinctive des chats sensibles à l'herbe-aux-chats est de se frotter les joues sur les zones parfumées.

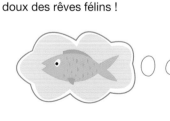

DES GOÛTS ET DES ODEURS

L'herbe-aux-chats n'agit pas sur tous les chats – l'environnement et les gènes semblent jouer un rôle dans le niveau de réactivité, ainsi que le sexe – les mâles y étant plus sensibles que les femelles. Le degré de réaction varie également, allant du simple frottement des joues sur l'objet imprégné à un débordement incontrôlé de bave et d'extase sans retenue.

CI-DESSUS Pétrir avec les pattes antérieures est une réaction féline très courante. N'utilisez pas votre oreiller favori car il serait vite transformé en pelote d'aiguilles !

CI-DESSUS Tourner, retourner, se frotter : une pure merveille ! L'effet peut durer de quelques minutes à plus d'une demi-heure.

▲ CI-DESSUS Miaou ! C'est super comme ça aussi. Avec de l'herbe-aux-chats dans les parages, l'air se remplit bien vite de ronrons.

Pot-pourri

Version féline du pot-pourri parfumé pour la maison, ce jouet procurera à votre chat de grands moments de plaisir. Vous pouvez acheter des petites balles en plastique contenant un peu d'herbe-aux-chats. L'odeur attire votre petit compagnon et conserve son intérêt pendant que le jouet lui-même, par la course poursuite et les sauts qu'il suscite, lui apporte l'exercice dont il a besoin. Choisissez de préférence des balles que vous pouvez ouvrir pour changer le produit de temps en temps. Si vous laissez votre chat jouer seul, ce genre d'objet est sans danger pour lui, mais si vous prévoyez de le suspendre à une ficelle ou un ruban, restez près de votre chat et participez au jeu !

▼ CI-DESSOUS Pour éviter que l'herbe ne sorte par les trous les plus larges, ensachez-la dans un carré de coton fin fermement resserré par un fil.

▲ CI-DESSUS En introduisant de l'herbe-aux-chats dans une balle, vous offrez à votre petit compagnon un excellent exercice de course poursuite.

▲ CI-DESSUS Si vous fabriquez vous-même votre pot-pourri, utilisez un récipient dont le contenu n'a jamais dégagé d'odeur persistante susceptible d'interférer avec celle de l'herbe-aux-chats.

LE BONHEUR MAISON

Il est très facile de fabriquer votre propre jouet parfumé. Percez une balle creuse à l'aide d'une aiguille à tricoter et faites pénétrer l'herbe-aux-chats à l'intérieur. Vous pouvez aussi utiliser une petite bouteille en plastique dans laquelle vous l'introduisez avant de revisser le bouchon. Les trous doivent être assez nombreux pour que l'odeur se répande mais pas trop larges pour que l'herbe ne sorte pas du récipient, sinon vous risquez de suivre votre chat à la trace !

À la pêche

Depuis les anciens dessins animés où l'on voit des chats de gouttière fouiller dans les ordures et jeter des arêtes par-dessus leur épaule, jusqu'aux actuelles boîtes de nourriture et friandises au goût marin, tout est là pour nous rappeler que les chats aiment le poisson. Même si le vôtre affiche une nette préférence pour ce qui vit sur terre plutôt que dans l'eau, cela ne l'empêchera pas d'apprécier une petite partie de pêche, qui heureusement pour vous, pourra se pratiquer confortablement à la maison. Il vous suffit d'avoir une ligne au bout d'une canne et un matou d'humeur joyeuse. Pour faire simple, attachez un morceau de ficelle à un bâton et fixez-y l'appât. Votre petit pêcheur ne le laissera pas s'échapper, surtout si vous le remplissez d'herbe-aux-chats !

▼ CI-DESSOUS Faites sentir le poisson factice rempli d'herbe-aux-chats à votre petit compagnon.

▲ CI-DESSUS Balancez le poisson au-dessus de votre chat. S'il est d'humeur à jouer, il se mettra debout pour l'attraper. Son train arrière est assez fort pour qu'il reste un moment dans la position verticale, sa queue servant de balancier pour garder l'équilibre.

▼ CI-DESSOUS Équipé à chacune de ses pattes d'un assortiment de crochets luisants acérés comme des rasoirs, votre chat ne mettra pas longtemps à épingler sa proie.

◀ CI-CONTRE Remontez la ligne d'un coup sec pour que le poisson fasse des bonds en l'air, juste assez haut pour que votre chat le frôle et soit obligé de sauter pour l'attraper.

AU BOUT DU FIL

Il existe dans le commerce de superbes cannes à pêche avec des poissons en tissu ou en plastique, mais pourquoi ne pas fabriquer la vôtre ? Prenez un morceau de bambou et vissez une bobine à l'extrémité la plus épaisse pour servir de moulinet. Des petits anneaux de tringle à rideau serviront de guides pour un fil de laine assez fin auquel vous fixerez l'appât de votre choix. Lancez la ligne devant votre chat puis enroulez lentement le fil sur la bobine. Si votre « poisson » est assez lourd, vous aurez une bonne imitation du lancer d'appât.

Le bon tuyau

Quand on ne voit pas, on met la patte ! Que peut-il bien y avoir dans ce drôle de trou ? Cette activité tient compte du besoin félin quasi pathologique d'insérer une patte antérieure dans les coins et recoins les plus inaccessibles, à la recherche de la moindre créature infortunée qui pourrait s'y réfugier. Assemblez plusieurs tubes en carton pour bâtir une pyramide ou une cabane en rondins qui tiendra debout sur une surface plane. Froissez légèrement un morceau de papier et enduisez-le généreusement d'herbe-aux-chats, puis enfoncez-le dans l'un des tubes de votre construction et vous verrez bientôt une petite patte partir à sa recherche.

▲ CI-DESSUS De nature curieuse, votre chat sera intrigué par tous ces petits espaces à explorer et l'odeur de l'herbe-aux-chats ajoutera encore à son plaisir.

▼ CI-DESSOUS N'utilisez pas des tubes trop larges. Ils doivent être ajustés à la taille de la petite patte qui fouille à l'intérieur pour en retirer le contenu.

◀ CI-CONTRE Des petits jouets
et friandises peuvent remplacer
l'herbe-aux-chats dans les tubes
si vous voulez éviter de la voir se
répandre sur le sol.

▶ CI-CONTRE Ce jeu vous
montrera l'habileté de votre
chat quand il utilise ses pattes
antérieures.

▼ CI-DESSOUS Vous pouvez
laisser votre petit compagnon jouer
seul. Mais veillez à vider le contenu
des tuyaux pour éviter tout incident.

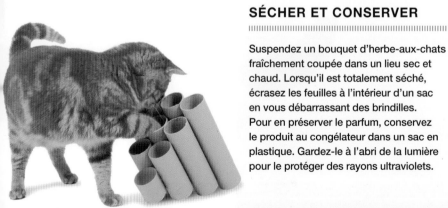

SÉCHER ET CONSERVER

Suspendez un bouquet d'herbe-aux-chats
fraîchement coupée dans un lieu sec et
chaud. Lorsqu'il est totalement séché,
écrasez les feuilles à l'intérieur d'un sac
en vous débarrassant des brindilles.
Pour en préserver le parfum, conservez
le produit au congélateur dans un sac en
plastique. Gardez-le à l'abri de la lumière
pour le protéger des rayons ultraviolets.

Le curieux

Les activités utilisant des friandises sont parfaites pour les chats qui ont besoin d'une petite motivation pour entrer dans le jeu. C'est vrai qu'il s'agit en quelque sorte d'une corruption mais, à faible dose, une friandise peut devenir votre botte secrète pour inciter le matou le plus sédentaire à participer à l'activité ou pour encourager le timide à sortir de sa coquille (ou de sa cachette sous le canapé). Veillez simplement à en utiliser avec parcimonie si votre chat a déjà une légère tendance à l'embonpoint.

Boîte à malice

Rien ne vaut un ensemble de boîtes, sacs en papier et rouleaux de carton pour réveiller le fouineur qui sommeille en tout félin. En dissimulant quelques gourmandises dans certaines de ces cachettes, vous rendez l'exploration encore plus intéressante. Pimentez-la en augmentant la difficulté, par exemple en collant un morceau de papier au fond d'un carton ou à l'intérieur d'une boîte à œufs, glissez-en un sous une étiquette ou entre deux couches de carton, ou bien utilisez un emballage à l'ouverture étroite – tout cela pour que votre chat se donne du mal pour retrouver sa proie.

▼ CI-DESSOUS Les boîtes, sacs et rouleaux valent la peine d'être fouillés, vous pouvez y cacher des joujoux ou des friandises pour augmenter le plaisir de l'investigation.

CI-CONTRE C'est un matériau que les chats adorent. Les cartons et les boîtes à œufs peuvent être griffés, mordillés et maltraités de toutes les manières sans poser de problème.

CI-CONTRE Les chats aventureux apprécieront d'avoir un rouleau de carton partiellement déroulé pour le plaisir d'achever la destruction.

SÉCURITÉ Assurez-vous de n'utiliser que des produits sans danger pour votre chat. Éliminez le plastique et enlevez les anses des sacs en papier – le petit curieux lancé dans son exploration pourrait s'y coincer la tête et se causer un grand désarroi, voire se blesser. Vérifiez également que les boîtes en carton ne présentent plus aucun danger dû à la présence d'objets métalliques comme des agrafes.

Chasse au trésor

Qui peut résister à l'attrait d'un trésor caché ? Les chats ne font pas exception, bien que leur idée de « trésor » soit quelque peu différente de la nôtre. S'il peut leur arriver de se retourner sur un bijou en argent ou un louis d'or, ce ne sont pas pour eux les matières les plus précieuses. Le monde extérieur est rempli de tellement de senteurs diverses que le nez de votre chat est constamment sollicité. Une chasse au trésor dans le jardin doit donc se cantonner à un espace limité et à des odeurs qu'il connaît bien. Cachez ses friandises dans l'herbe, derrière un pot de fleurs, entre des bûches. Si votre chat est distrait et a besoin d'encouragement, mettez-le sur la piste en déposant quelques bonnes choses sur le trajet. S'il vit en appartement, essayez cette activité sur le balcon.

▲ CI-DESSUS En veillant à sa sécurité, utilisez tout ce que vous pouvez trouver au jardin. Dissimulez son butin sous un pot ou derrière un récipient quelconque.

◀ CI-CONTRE ET CI-DESSUS
Si votre chat se montre peu enclin à la chasse au trésor, faites-lui sentir sa récompense puis cachez-la sous ses yeux.

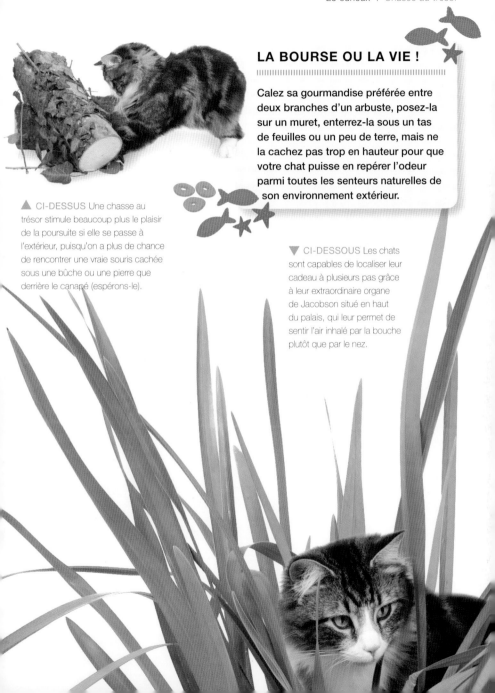

LA BOURSE OU LA VIE !

Calez sa gourmandise préférée entre deux branches d'un arbuste, posez-la sur un muret, enterrez-la sous un tas de feuilles ou un peu de terre, mais ne la cachez pas trop en hauteur pour que votre chat puisse en repérer l'odeur parmi toutes les senteurs naturelles de son environnement extérieur.

▲ CI-DESSUS Une chasse au trésor stimule beaucoup plus le plaisir de la poursuite si elle se passe à l'extérieur, puisqu'on a plus de chance de rencontrer une vraie souris cachée sous une bûche ou une pierre que derrière le canapé (espérons-le).

▼ CI-DESSOUS Les chats sont capables de localiser leur cadeau à plusieurs pas grâce à leur extraordinaire organe de Jacobson situé en haut du palais, qui leur permet de sentir l'air inhalé par la bouche plutôt que par le nez.

Il faut le flair

Votre chat connaît intimement tous les coins de la maison. Il a exploré sous chacun des lits, derrière tous les rideaux et canapés ; rien n'a échappé à son museau félin hypersensible... du moins le croit-il. Voici une chasse au trésor qui lui fera explorer de nouveau les lieux qu'il connaît bien. Cachez plusieurs de ses friandises favorites dans la maison. S'il tarde à les rechercher, mettez-le sur la piste. Traînez par exemple l'une d'elles sur le sol pour qu'il en suive l'odeur jusqu'à sa cachette. Puis asseyez-vous et regardez-le s'activer pour les retrouver toutes.

▲ CI-DESSUS Ce détective félin ne laisse aucun répit aux coussins. L'odorat d'un chat est 14 fois plus puissant que celui de l'homme.

◀ CI-CONTRE Cacher des surprises dans les endroits les plus insolites apporte une nouvelle dimension à son environnement familier.

▲ CI-DESSUS Plus la récompense est difficile à trouver, plus votre chat devra avoir recours à des trésors d'ingéniosité ! Mais ne rendez pas sa victoire impossible et pensez toujours à la sécurité – pas trop en hauteur ni derrière vos bibelots de valeur.

TESTEZ SON « QI OLFACTIF »

Les chats se fient beaucoup à leur odorat, puisque leurs yeux ne se focalisent pas très bien sur les objets proches. Ils utilisent leur museau pour chercher leur nourriture ainsi que pour juger de la température ambiante. Testez le « QI olfactif » de votre chat en déposant une friandise parmi quelques autres objets à odeur forte, comme des pelures de citron par exemple, et voyez s'il la retrouve sans hésiter.

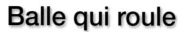

▲ CI-DESSUS Si votre chat s'en désintéresse, c'est certainement que la balle est vide ! Pour les chats un peu « enveloppés », il est bon de limiter ce jeu à de rares occasions.

▲ CI-DESSUS Votre chat réalisera très vite qu'en poussant la balle avec son nez, il en sort des choses appétissantes.

▼ CI-DESSOUS Voici une balle spéciale du commerce, mais vous pouvez fabriquer la vôtre (voir encadré ci-contre).

Balle qui roule

Tous les chats comprennent très vite quand il s'agit de rechercher des gourmandises au goût de poisson ; cette balle à trous par lesquels elles peuvent sortir est assurée de remporter tous leurs suffrages. Introduisez dans la balle plusieurs petites choses que votre chat adore (par exemple des crevettes séchées) puis faites-la rouler vers lui. Il remarquera rapidement l'odeur alléchante et viendra la sentir, poussera la balle de son nez ou de sa patte. Au hasard du déplacement, une récompense sera libérée, puis une autre que votre chat dégustera. Dès qu'il aura compris d'où elles sortent, il continuera à pourchasser la balle pour récolter ses délicieuses récompenses.

▼ CI-DESSOUS Votre chat peut jouer seul avec sa balle, mais vous pouvez aussi agrémenter le jeu en la suspendant par un fil à un support solide pour qu'il fasse un peu d'exercice à la recherche de sa récompense.

▼ CI-DESSOUS Les friandises sont tellement motivantes qu'elles auront vite fait de mettre en action le plus blasé des chats.

ET ÇA MARCHE !

Fabriquez votre propre distributeur à partir d'une balle creuse. Découpez tout autour des trous d'un centimètre de diamètre environ pour permettre à l'odeur alléchante de s'en échapper et deux ou trois trous plus larges pour pouvoir introduire et laisser sortir les récompenses. Elles doivent pouvoir sortir sans aide, mais pas trop facilement pour inciter votre chat à pousser la balle pour les obtenir.

▼ CI-DESSOUS Dans des circonstances habituelles, votre chat pourrait soit ignorer le calendrier, soit s'en servir comme coussin de sieste, mais l'odeur des gourmandises attirera son attention sur-le-champ.

▼ CI-DESSOUS Les coussinets du chat n'ont pas énormément de capteurs sensitifs, mais il s'en sert pour explorer la forme, la taille et la texture des objets.

Calendrier de l'Avent

Inutile d'attendre l'hiver pour profiter de ce jeu de décompte – n'importe quel jour peut devenir Noël pour votre chat. Cachez une friandise dans chaque cachette et ouvrez-en une par jour. Aidez-le en entrouvrant une porte et une seule chaque jour, les autres restant absolument closes pour conserver l'attente. Pour les chats qui n'ont aucune force de caractère, il vous faudra enlever le calendrier pour qu'ils n'ouvrent pas plusieurs portes le même jour, et leur rendre le lendemain.

MARCHAND DE BONBONS

Ce jeu réutilise les boîtes de bonbons vides avec des cases individuelles. Découpez le dos de chaque case et décorez l'ensemble de manière à le rendre plus attractif.

▲ CI-DESSUS Mmm… Saveur poisson avec enrobage croustillant – un vrai délice !

▼ CI-DESSOUS Une fois que votre chat a compris le jeu, cachez seulement une ou deux friandises et laissez-le découvrir les portes derrière lesquelles elles se trouvent.

Le champion

Qui aurait pu croire que la petite balle de ping-pong serait aussi prisée par la gente féline ? Du flipper au football, elle a exactement la taille idéale et le poids précis pour être lancée par une petite patte. Les jeux de balle sont essentiels pour nos petits compagnons – coordination visuelle, esprit d'équipe et défoulement de l'énergie excédentaire pour les chats hyperactifs, car le jeu peut devenir assez frénétique. Il existe des balles commercialisées symbolisant chaque sport, mais vous pouvez également fabriquer et décorer les vôtres.

▶ CI-CONTRE
Ouf ! Un penalty détourné en gardant la tête froide, des nerfs d'acier et des réactions instantanées.

▲▼ CI-DESSUS ET CI-DESSOUS Transformez une balle de ping-pong en ballon de foot en dessinant des petits hexagones avec une encre non toxique. Cela n'augmentera pas les capacités de votre chat mais pour les photos, quelle classe !

Tir au but

En tant qu'entraîneur, vous pouvez choisir le poste de votre chat – la plupart d'entre eux sont assez versatiles et capables de jouer avant et défenseur en même temps, ainsi que de tirer avec n'importe quelle patte. Mettez-le dans les buts pour commencer. Placez-le devant le filet (ou peut-être vaudra-t-il mieux placer le filet derrière lui !) et tentez quelques penalties pour voir combien il pourra en détourner. S'il en laisse trop passer, ou s'il préfère courir après la balle, oubliez ses capacités de gardien de but pour le laisser dribbler. Vous serez peut-être à l'origine d'une vocation.

STAR DU TIR FRAPPÉ

Si le foot n'est pas son jeu préféré, essayez le hockey sur glace. Utilisez une petite capsule de bouteille sur une surface lisse et glissante. Les déplacements seront rapides et déchaînés, attention aux tirs frappés – votre matou pourrait bien se découvrir des atouts professionnels.

▼ CI-DESSOUS Un simple panier à provisions en plastique peut faire l'affaire. Pour assurer sa stabilité, scotchez-le au sol en plusieurs endroits.

Flipper magique

Libérez le joueur magique qui se cache derrière votre chat grâce à cette version basse technologie du flipper. Cela manque sans doute de lumières et de sons électroniques, mais cela procurera à votre matou des moments grandioses de divertissement à l'ancienne. Avec ses pattes pour dribbler et son museau pour pousser, il deviendra bien vite un expert dans le contrôle de la balle et gagnera des parties gratuites. C'est une activité intéressante pour les chats qui restent seuls à la maison, parce qu'une fois le flipper installé et fixé sur une surface plate, vous n'aurez plus besoin de superviser le jeu ni de mettre des pièces dans une fente pour qu'il s'amuse. C'est lorsqu'il s'en détourne que vous savez que la partie est finie. Mais c'est également l'endroit rêvé pour une petite sieste…

▶ CI-CONTRE Juste après sa partie de flipper endiablée, ce chat recharge ses batteries avant la revanche.

▶ CI-CONTRE Des verres et tasses en plastique en position stratégique accompagnés de bandes de carton fixées au fond de la boîte serviront de guides pour la trajectoire de la balle.

LE TERRAIN DE JEU

Il vous suffit d'avoir une grande boîte rectangulaire aux rebords assez bas, une ou deux balles de ping-pong, des bandes de carton et quelques objets cylindriques. Vous pouvez utiliser le fond d'une boîte de rangement ou un carton d'emballage pour fabriquer votre machine. Les obstacles peuvent être des canettes de boisson ou des récipients de plastique de différentes couleurs. Les canettes doivent être pleines pour rester en place plus facilement. Les éléments en plastique seront scotchés pour la même raison. Disposez vos obstacles au hasard puis lancez une ou deux balles et que la partie commence !

◀ CI-CONTRE Prévoyez une grande boîte. Sa manière de jouer n'est peut-être pas très orthodoxe, mais il est plus facile pour le chat de grimper dans la machine pour pousser et dévier la balle sur le terrain.

Boîte de balles

V oici un jeu qui rend fous tous les chats – on voit les balles, on peut les toucher, mais comment les sortir de la boîte ? En fait, la plupart des trous sont assez grands, mais les chats aiment la difficulté. Quand ils jouent seuls, ils inventent délibérément des stratégies alambiquées pour pousser leur jouet de l'autre côté d'un pied de table ou de chaise ou l'envoyer dans des cachettes inaccessibles. Ce jeu attractif a tellement d'ouvertures sur toutes les faces que votre chat n'aura que l'embarras du choix. Remplissez-le de ses joujoux préférés.

BALLE EN CAGE

Découpez une série de trous sur les côtés et le dessus d'une petite boîte en carton et refermez-la. Renforcez les trous en collant des couronnes en carton colorées de peinture non toxique. Votre chat doit pouvoir passer la patte par chacun des trous et regarder à travers eux. Certains doivent être suffisamment larges pour lui permettre de faire sortir la balle.

◀ CI-CONTRE D'abord, tu choisis ta balle…

▼ CI-DESSOUS … et tu l'attrapes dans le creux de la patte. Assurez-vous que certains trous sont assez larges pour que votre chat puisse allonger sa patte tout entière à l'intérieur.

Le compte est bon

Testez les capacités en calcul de votre chat grâce à ce boulier à sa taille. S'il n'est pas sûr de comprendre ce jeu bizarre au début, attachez une petite plume à l'une des balles ou insérez une friandise à l'odeur attractive dans l'une d'elles pour attirer son attention. Il avancera bientôt la patte ou le museau et dès qu'il en aura compris l'intérêt, il les fera tourner sur leurs supports de bois. Pour varier l'amusement, suspendez un petit jouet à l'un des bras et remplacez les balles du bas par des anneaux de douche par exemple.

▲ CI-DESSUS Ce nouveau jeu lui procurera une grande stimulation mentale tout en testant sa dextérité.

▶ CI-CONTRE Si aucune partie ne peut se détacher pour être avalée, vous pouvez laisser ce jeu à disposition de votre chat.

SANS DIPLÔME EN MATHS

||||||||||||||||||||||||||||||||||||||||||||||||||||||||||||||||||||||||||||||||||||||||||||||||||||||||

Ce boulier est fait à partir d'un présentoir à tasses auquel sont emboîtées à angle droit plusieurs tiges de bois. Les balles doivent pouvoir bouger librement de gauche à droite et tourner sur leur axe. Sécurisez la base pour que le jeu ne bascule pas.

▲ CI-DESSUS Disposez plusieurs balles le long de chaque tige, pour embellir votre boulier et variez les longueurs si vous le souhaitez.

▶ CI-CONTRE Laissez les extrémités libres pour que votre chat puisse faire sortir les balles, ou bien condamnez-les par un disque de bois plus large que le trou d'entrée.

SÉCURITÉ Assurez-vous que les extrémités des tiges ou les disques de bois rapportés soient poncés pour éviter de blesser votre chat. N'utilisez pas de balles trop petites qu'il pourrait avaler en les retirant de leur tige.

Casse-tête siamois

C e jouet coloré en forme de yo-yo géant attirera à coup sûr l'attention de votre chat. Il s'agit d'une balle qui roule sur une piste circulaire entre deux plateaux inversés. Cette piste est juste assez découverte pour permettre à une petite patte de s'y faufiler mais pas assez pour que la balle en sorte. Minou ne devrait pas tarder à s'y intéresser ; vous pouvez le laisser s'amuser seul, ce jeu est idéal pour les moments où vous vous absentez. Cependant, comme il ne pourra jamais extraire la balle de la piste, il risque de montrer des signes de frustration, auquel cas il pourra être judicieux de limiter l'activité dans le temps.

▼ CI-DESSOUS Les trous sur le plateau supérieur permettent au chat de voir tourner la balle et de l'aborder sous un angle différent.

▼ CI-DESSOUS Je l'ai ! Ce chat utilise sa capacité de mettre sa patte en crochet pour essayer de retirer la balle.

◀ ▼ CI-CONTRE Avec leurs terminaisons sensibles, les moustaches du chat lui ont appris qu'il avait juste la place de loger sa tête au centre du plateau.

▼ CI-DESSOUS Les oreilles en avant et les moustaches retournées, ce chat est attentif, concentré et totalement pris par l'action.

PISTE EXTÉRIEURE

Fabriquez votre propre piste pour le jardin en utilisant une gouttière en PVC. Posez par terre des morceaux de tuyau reliés par des coudes pour former un circuit fermé. Votre chat s'amusera à poursuivre une balle d'un bout à l'autre de son nouveau jouet.

Chat-crobate

Parallèlement à tous leurs autres talents, les chats sont des athlètes nés. Leur puissant arrière-train est capable de les propulser très haut et leur colonne particulièrement souple leur permet de se vriller et de faire d'incroyables acrobaties dignes d'un spectacle de cirque. Les jeunes, très agiles, cabriolent quand ils jouent et peuvent faire des sauts extraordinaires pour attraper leur proie. En partant de la position assise, certains peuvent se lancer si haut qu'on les croirait montés sur trampoline. Jetez balles, plumes et autres joujoux et vous verrez votre chat bondir dans tous les sens comme une sauterelle.

▲ CI-DESSUS Comme les chiens, les chats marchent directement sur les orteils. Debout sur la pointe des pattes arrière, ils sont capables de sauter à une hauteur impressionnante.

▲ ▶ CI-DESSUS ET CI-CONTRE Dès qu'il aura compris, il cherchera à intercepter la balle en sautant. Faites en sorte qu'il réussisse plusieurs fois à l'attraper au cours de l'activité, pour lui donner satisfaction.

SÉCURITÉ Les chats sont des êtres extrêmement sensibles et prudents, qui estiment en général avec précaution les distances et les mouvements, mais il peut arriver qu'ils se trompent dans l'excitation du jeu. Installez-vous dans un endroit sûr, pas trop près des meubles.

Le sportif

Ces exercices spécifiques vont provoquer et stimuler votre chat d'un point de vue mental aussi bien que physique. Depuis les activités gymniques et les parcours d'entraînement jusqu'aux grattages indispensables pour ses pattes et ses griffes, nous vous assurons qu'il sera bientôt en pleine forme, de la pointe des moustaches au bout de la queue. Ces exercices permettront de résoudre les problèmes émotionnels, comme par exemple gérer la colère ou soulager la tension et le stress au quotidien.

Le boxeur

Soigneurs dehors, premier round ! L'un des gestes les plus naturels du chat est la gifle, administrée avec le plat de la patte, griffes rentrées. Avec cette activité, il peut frapper et frapper encore, comme un vrai poids plume, un petit punching-ball planté sur un ressort ou sur un bâton vertical. Ce jeu favorise la concentration, la coordination et la libération de certains sentiments refoulés (les chats utilisent souvent la gifle pour corriger les autres félins et même les humains) – et c'est aussi un excellent exercice pour ses pattes antérieures. Il sera bientôt aussi vif et sautillant qu'un papillon.

▶ CI-CONTRE Une fois le punching-ball en mouvement, votre chat sera enchanté de le taper encore et encore. Vous verrez bientôt plusieurs matous le rejoindre.

CI-CONTRE Surveillez bien cette activité – le plus gentil des partenaires de jeu peut à tout moment en profiter !

ROCKY 2

On peut trouver des punching-balls pour chats dans le commerce. Il s'agit généralement d'un ressort solide fixé à une ventouse appliquée sur une surface plate. Mais vous pouvez fabriquer le vôtre en attachant un ressort ou un bâton flexible sur une base lestée ou en utilisant un long bâton auquel vous fixez une balle et que vous enfoncez dans un pot de fleurs rempli de terre compacte ou de mousse florale.

Parcours acrobatique

Après une dure journée de dodo, sieste et rou-pillon, il fait bon se dégourdir les pattes. Le but d'un circuit d'entraînement est d'amener votre petit félin à se déplacer dans la pièce, à sauter d'un niveau à l'autre, à s'étirer et se muscler. Il sera également stimulé par l'agencement différent de son environnement familier qui l'obligera à réfléchir pour comprendre comment aborder ce drôle d'équipement « sportif ». S'il paraît réticent au début, déposez quelques-uns de ses jouets sur le trajet pour l'encourager.

▼ CI-DESSOUS Une superbe coordination, de l'équilibre et un besoin impérieux d'explorer toutes les nouveautés sont des indices montrant que votre chat est fin prêt pour le parcours.

SÉCURITÉ Les escabeaux sont dangereux pour les chats, n'essayez surtout pas d'en placer sur le parcours.

◀ CI-CONTRE Accroche-toi ! Un tapis enroulé fait un excellent toboggan et fournit une occasion de tester ses griffes.

▶ CI-CONTRE Vous saurez quand la partie sera finie – votre chat trouvera le plus court trajet pour descendre et aller voir ailleurs.

NOS FÉLINS ONT DU RESSORT

Les puissantes pattes arrière du chat lui permettent de sauter jusqu'à cinq fois sa taille. Quand il escalade une barrière, ses griffes s'y accrochent comme des crampons et le hissent jusqu'au sommet. Observez comment votre petit félin estime la hauteur de son saut et se trompe rarement.

SÉCURITÉ Restez dans les

parages si votre chat est âgé ou s'il ne connaît que l'intérieur – de plus, il appréciera d'avoir un public.

▼ CI-DESSOUS Suspendez des plumes ou des jouets aux branches d'un arbuste, à différentes hauteurs pour que votre minou puisse jouer assis ou debout.

▲ CI-DESSUS Encouragez votre chat à changer de point de vue. Installez une planche comme toboggan ou placez une table et une chaise près d'un mur pour qu'il les utilise comme tremplins et puisse s'étirer, sauter et évoluer sur des niveaux différents.

◄ CI-CONTRE Un moulin coloré dont les ailes tournent au vent, et voilà votre matou prêt à jouer !

Quel athlète !

L es chats sont naturellement agiles et possèdent un excellent sens de l'équilibre. Vous frémissez peut-être en regardant votre matou marcher avec précaution tout en haut d'une barrière ou escalader les branches d'un arbre, mais rassurez-vous, il ne prend aucun risque. Si votre chat ne sort pas de son espace limité, encouragez-le à jouer avec les objets qui s'y trouvent. Voici quelques idées simples pour le stimuler tout en l'amusant et en l'aidant à rester leste et actif.

UN SQUELETTE IDÉAL

Le chat possède plus d'os que l'être humain. Sa colonne vertébrale très flexible lui permet de se retourner dans l'air pour retomber sur ses pattes, tout en arrondissant le dos pour amortir la chute. Pour un meilleur équilibre, sa longue queue sert de balancier. C'est grâce à la structure de ses clavicules et de son étroite cage thoracique qu'il peut marcher sur la crête d'une barrière en plaçant les pattes l'une devant l'autre sur une simple ligne.

▲ CI-DESSUS Accrochez des jouets sur un treillis ou encouragez votre chat à se faufiler entre les croisillons en déroulant un morceau de ficelle par les ouvertures.

Mission impossible

Tous les chats, du plus bagarreur à celui qui ne ferait pas peur à une souris, adorent explorer les souterrains. C'est une aventure passionnante qui fait appel à leur besoin naturel de fouiner dans les coins sombres. Il existe des modèles de tunnels en tissu formés de différentes parties à utiliser seules ou reliées entre elles. Vous pouvez aussi trouver des exemplaires métalliques recouverts de peluche et percés de trous servant de « périscopes », pour que votre petit espion puisse observer le monde extérieur à intervalles réguliers.

▼ CI-DESSOUS Les tunnels sont parfaits pour les chats en mission secrète, d'ailleurs ils peuvent abriter plusieurs « agents » en même temps.

▲ CI-DESSUS La capacité du chat à voir sous un faible éclairage lui permet d'apprécier les endroits sombres que les autres animaux préfèrent éviter.

LA TACTIQUE DU TUNNEL

|||||||||||||||||||||||||||||||||||||||||||||||||||||||||||||||||||||||||||||||||||||||||||||||||

Vous pouvez facilement réaliser votre propre tunnel, à partir de boîtes en carton de taille équivalente. Placez-en plusieurs bout à bout, que vous aurez au préalable ouvertes aux extrémités. Vous obtenez ainsi un tunnel minute très pratique, repliable pour le rangement.

▲ CI-DESSUS Les tunnels en tissu sont pratiques pour leur facilité de rangement : ils s'aplatissent sur eux-mêmes. De plus, ils ont des parties ouvertes sur le côté qui permettent au chat de choisir une sortie à mi-parcours.

▼ CI-DESSOUS Vérifiez toujours votre tunnel avant de le ranger, il se pourrait bien que votre petit compagnon ait choisi de faire sa sieste en plein milieu.

▲ CI-DESSUS Quelques tunnels sont munis de souris ou autres distractions suspendues au plafond pour que votre chat puisse jouer « Les griffes de la nuit ». Vous pouvez aussi lancer une balle à l'intérieur pour déclencher une course poursuite.

Jeu bulle

Vous vous rappelez sans doute la fascination qu'exerçaient sur vous les bulles de savon quand vous étiez petit ? Votre minou ressent le même plaisir à ce jeu. Vous pouvez emprunter à un enfant son flacon rempli d'eau savonneuse, mais il est également très facile d'en fabriquer une (voir encadré ci-dessous). Soufflez les bulles au-dessus de la tête de votre chat et observez-le. Envoyez-en aussi en hauteur et regardez-le s'exciter quand elles redescendent. Dès qu'elles arrivent à son niveau, il les tape ou saute des quatre pattes sur celles qui tombent au sol. Mais il est temps d'arrêter la partie s'il s'en va en grognant. Les chats, en général, n'apprécient pas que leur « proie » s'évapore entre leurs pattes.

▲ CI-DESSUS Bien que cette position ne lui soit pas très naturelle, le chat peut s'asseoir sur son derrière, la queue allongée en guise de balancier, pour frapper des deux pattes antérieures les bulles qui tombent autour de lui.

RECETTE DE BULLES MAISON

INGRÉDIENTS :
• 1/2 tasse de savon liquide
• 5 tasses d'eau distillée ou en bouteille
• 2 cuillerées à soupe de glycérine (ou de sucre en poudre)
• une grosse clé ou du fil de fer (pour la baguette)

Mélangez avec précaution le savon, l'eau et la glycérine dans un grand bol (vous feriez trop de mousse en les secouant à l'intérieur d'une bouteille). Si vous n'avez pas de clé, formez un petit cercle d'environ 2 centimètres de diamètre avec le fil de fer, en gardant une longueur pour la poignée. Plongez-le dans le mélange et soufflez doucement. Un petit geste sec du poignet libère la bulle de son support.

▶ CI-CONTRE Voilà un jeu tranquille qui convient à tout âge – les vieux chats qui ne bougent plus beaucoup s'amuseront autant que les plus jeunes.

◀ CI-CONTRE Votre chat regardera les bulles descendre lentement, il aura le temps de viser avant de lancer la patte. Il existe même des produits à bulles remplis d'herbe-aux-chats.

Magasin de jouets

Votre chat peut faire ses courses à toute heure dans ce magasin ouvert 24h/24. En tant que gérant, vous devrez veiller à bien achalander les rayons avec des jouets variés, de manière à offrir à votre petit client un maximum de choix. Installez par exemple deux ou trois joujoux différents sur chaque étagère. Le fait de passer en revue tous les rayons et de repérer les promotions de la semaine fera partie de l'activité au même titre que le jeu en lui-même. On dépose son choix dans le panier et en route pour la caisse !

▼ CI-DESSOUS Il est préférable de placer le "magasin de jouets" contre un mur afin d'éviter la cohue des jours de solde.

◀ CI-CONTRE À condition que tous les objets présentés soient sans danger, le magasin peut rester à la disposition de votre chat même sans surveillance. Il apprendra à reconnaître l'endroit où sont stockés ses joujoux, mais ne vous attendez pas toutefois à ce qu'il les range.

SÉCURITÉ Assurez-vous que votre magasin de jouets ne vende que des objets sans danger : assez gros pour éviter que votre chat ne les avale, ils ne doivent pas non plus contenir de laine ni de ficelle qu'il serait susceptible de manger (voir page 10).

BAZAR À CHAT

Découpez un rectangle dans l'une des grandes faces d'une boîte en carton d'environ 50x30x10 cm, en laissant une marge de 1,5 cm tout autour. Renforcez le fond en collant du carton ondulé. Fabriquez des étagères rigides que vous collez à l'intérieur, puis placez le couvercle sur le fond. Ensuite, découpez un rectangle qui deviendra l'auvent, peignez-le avec des rayures de couleurs contrastées et collez-le sur le magasin.

▼ CI-DESSOUS Celui-ci semble parfait. Votre chat pourra sélectionner son jouet préféré d'une patte experte.

▲ CI-DESSUS Voici des étagères bien présentées, avec un petit rebord sur celle du bas pour empêcher les balles de rouler à l'extérieur.

Patticure

Contrairement aux chiens, les chats n'ont pas à être emmenés au salon de toilettage pour se faire bichonner – leur petite langue râpeuse suffit à leur procurer tous les soins de beauté dont ils ont besoin. Ils sont également autonomes en ce qui concerne l'entretien de leurs griffes, à condition d'avoir sous la patte un tronc d'arbre ou un morceau de bois pour aiguiser et polir leurs petits couteaux. Malheureusement, ils ne font aucune différence entre la vieille planche de ferme et votre chaise Louis XVI ; il vous faudra donc fournir à votre petit compagnon une amusante alternative adaptée à ses besoins pour détourner son attention des trésors de votre mobilier, surtout si vous avez un chat d'intérieur.

▲ CI-DESSUS Un peu d'herbe-aux-chats pulvérisée sur le poteau lui indiquera que c'est bien là qu'il peut faire ses griffes, et non sur les pieds de chaise.

▼ CI-DESSOUS Les griffes de ses quatre pattes peuvent être également affûtées si vous prenez soin d'isoler le poteau dans un espace suffisant pour lui laisser la place de s'étirer autour aussi bien qu'en hauteur.

ÉTIREMENT ET GRATTAGE

Dans les magasins de tissu, les rouleaux terminés sont généralement des tubes de carton très solides et de bonne longueur. Vous pouvez en utiliser un comme grattoir pour votre chat, en enroulant fermement de haut en bas une corde naturelle que vous fixez aux deux extrémités en la rentrant à l'intérieur et en la scotchant. Pour la maintenir en place, vous pouvez au préalable recouvrir le tube d'un adhésif double face qui vous permettra de ne pas retrouver le grattoir complètement déroulé par les petits ongles affûtés.

▲ CI-DESSUS Assurez-vous que le poteau est fermement fixé pour supporter la poussée simultanée des quatre pattes.

▲ CI-DESSUS Si votre espace est limité, vous pourrez choisir un petit grattoir du commerce. Vous aurez sans doute intérêt à le laisser toujours en place pour encourager votre chat à faire ses griffes seulement à l'endroit autorisé !

▼ CI-CONTRE Les trous sur les côtés de ce grattoir apportent au jeu une dimension supplémentaire. Lancez une balle ou deux à l'intérieur pour compléter sa séance de manucure.

Gratter c'est gagner

Soyez satisfait de savoir que votre chat se fera les griffes sur un grattoir écologique fait de couches de carton biodégradable (plutôt que sur la moquette ou sur votre mobilier de style). Une bonne séance de grattage est le moyen idéal de conserver des ongles parfaitement manucurés car le matériau ondulé et spongieux nettoie les petites impuretés incrustées entre la griffe et la chair. La sensation de chaleur de la surface rugueuse sous ses pattes suffit normalement à attirer votre chat pour faire ses griffes au bon endroit. Si toutefois il lui fallait un petit encouragement, essayez d'asperger son grattoir d'herbe-aux-chats et vous le verrez bientôt apprécier totalement sa séance de grattage.

▶ CI-CONTRE On démissionne ? Non, il est seulement question de démontrer une capacité naturelle à se mettre en boule pour une sieste improvisée.

PRATIQUE ET GRATTABLE

Si le grattoir est amovible, vous pouvez le retourner dès qu'un côté est usé pour une utilisation optimisée. Quelques planches sont même réversibles et il existe des recharges qui permettent de prolonger la durée de vie du support. Vous pouvez également trouver des grattoirs en carton à suspendre à une porte ou appuyer contre un mur.

▼ CI-DESSOUS Là-haut sur la montagne… Les chats aiment l'escalade et le grattage en étirement.

▼ CI-DESSOUS Intégrez un jouet à son grattoir pour attirer son attention sur lui plutôt que sur votre mobilier ou votre plus beau tapis.

TAPIS MAGIQUE

‖‖

Si le tapis est assez petit – un échantillon de moquette par exemple – percez un coin, attachez-y une ficelle et promenez votre chat sur son tapis magique tout autour de la pièce. Le mouvement provoquera vite un nouvel assaut.

▼ CI-DESSOUS Qu'est-ce qu'il y a ? Tu me regardes ? L'attaque de tapis libérera votre chat de ses émotions « grrrrefoulées ».

▼ CI-DESSOUS Voici un nouveau jeu utilisant un objet de la vie quotidienne, mais seulement s'il est usagé.

CI-CONTRE Attention à vous si vous jouez l'attaque surprise à mains nues. Le tapis devra avoir une bonne épaisseur pour vous protéger des griffes acérées.

▲ CI-DESSUS Encouragez-le à rouler sur le côté. Il attrapera sûrement le tapis dans ses pattes antérieures pour le lacérer des pattes arrière – c'est pour lui un grand défoulement.

Au tapis

Voici une excellente activité pour canaliser la colère féline et éviter ainsi thérapies de groupe et jeux de rôle. Elle permet à votre chat d'extérioriser son agressivité en attaquant un tapis, ce qui lui procure également un bon exercice.

Si votre chat n'est pas spontanément un grand guerrier, soit vous glissez un stylo ou une brindille sous le tapis, soit vous secouez légèrement le bord ou promenez Minou quand il est couché dessus. Il ne pourra pas résister à l'envie de bondir comme l'éclair. Essayez de l'enrouler dedans d'un côté pour le libérer de l'autre, à la Cléopâtre, ou de faire glisser votre rouleau félin sur le sol.

Jeu de lumières

Cette activité sera très amusante pour vous et votre chat. La plupart d'entre eux adorent courir après un rayon de lumière qui scintille dans la pièce ; vous pouvez donc programmer ce jeu après dîner. Tranquillement allongé sur le canapé, vous allumez une lampe électrique et c'est votre chat qui fait tout le travail.

Utilisez le plus mince rayon possible, promenez-le sur le sol et faites-le grimper le long des murs, dans une pièce plongée dans le noir ou faiblement éclairée – en fermant les volets s'il fait encore jour. Votre chat se mettra à courir comme un fou après la lumière. C'est un bon moyen d'encourager le plus fainéant des matous à faire le peu d'exercice dont il a grand besoin.

SÉCURITÉ N'utilisez jamais de rayon laser mais uniquement une lampe électrique. Ne dirigez pas la lumière directement dans ses yeux, car non seulement vous risqueriez de lui endommager la rétine, mais de plus, il détesterait ça !

▶ CI-CONTRE Contrairement à ce que l'on dit, les chats ne voient pas dans l'obscurité totale, mais il suffit d'une très faible source lumineuse pour que leur vision dépasse de six fois celle des humains.

RAYON FARCEUR

Ce jeu excite tous les chats qui adorent chasser la lumière intermittente, mais cela peut rapidement dégénérer. Pour sauver vos bibelots sur les meubles, ne dirigez votre rayon que vers le sol et les murs à sa hauteur.

▲ CI-DESSUS Ces balles s'activent dès qu'on les bouge et leurs différentes couleurs s'allument au toucher.

▲ CI-DESSUS Essayez d'éteindre la lumière et de la rallumer dans une autre direction. Votre chat sera surpris au début, mais il se prendra vite au jeu.

▶ CI-CONTRE C'est l'un des rares jeux où le chat n'a pas la satisfaction de « tuer ». L'activité peut être assez mouvementée, alors si vous voyez des signes de fatigue, extinction des feux !

Le fouineur

Les chats fonctionnent sur le mode du je-veux-tout-savoir. Ils veulent toujours savoir ce qu'il y a dans tel ou tel sac, bol, cabas, au fond d'une boîte, derrière une chaise… C'est plus fort qu'eux, ils four-rent leur nez partout. Donc, tous les jeux qui stimulent et piquent leur curiosité sont appréciés à coup sûr. La plupart des activités proposées ici satisferont aussi leur second impératif, celui de se cacher au cas où une pauvre innocente petite créature passerait par là ou à défaut, pour une sieste bien méritée.

Le petit rapporteur

Avoir la truffe froide et la langue pendante ne sont pas des attributs obligatoires pour ce jeu ; les petites créatures au nez court, aux yeux en amande et aux moustaches dressées peuvent jouer elles aussi au petit rapporteur. Les propriétaires de chats seront peut-être étonnés à l'idée de pratiquer cette activité avec un félin, pourtant quelquefois, les matous eux-mêmes prennent les devants et apportent leur jouet préféré à leur ami humain pour qu'il le lance – auquel cas, il vous faudra comprendre ce que votre chat a en tête. S'il n'a pas encore eu l'idée de vous enrôler dans ce jeu, à vous de lui proposer une petite partie, qu'il acceptera ou pas.

◀ CI-CONTRE Attirez l'attention de votre chat en lui montrant l'objet que vous souhaitez qu'il rapporte.

▶ CI-CONTRE Lancez le jouet pas très loin, et veillez à ce qu'il le voie atterrir. Suivez de la main la direction à suivre pour le récupérer.

▼ CI-DESSOUS Choisissez quelque chose qu'il aime et qu'il peut facilement prendre dans sa gueule. Ne prenez pas ce qui contient de l'herbe-aux-chats, parce que l'odeur serait trop attrayante et court-circuiterait le but du jeu.

L'HABITUDE D'ALLER CHERCHER

Choisissez un moment où votre chat est attentif, prenez un de ses jouets, amusez-vous un peu ensemble puis lancez-le. S'il va le chercher, félicitez-le et rappelez-le vers vous. S'il continue de s'amuser seul, prenez l'objet tout en le félicitant, revenez à votre position et lancez-le ailleurs. Recommencez plusieurs fois à la suite pendant quelques jours. S'il comprend le but du jeu, il commencera à rapporter ce que vous lancerez.

SÉCURITÉ Si votre chat aime rapporter des objets en laine, restez auprès de lui pour les retirer dès que l'activité est terminée.

▼ CI-DESSOUS Les chats à l'esprit indépendant – contrairement aux chiens – ne jouent au rapporteur que pour leur plaisir, pas pour celui de leur « maître ».

Jouet vivant

La beauté se trouve dans le regard de celui qui aime ; ainsi, malgré une piètre image à vos yeux, un simple sac en papier rapporté de l'épicerie fera le bonheur de votre matou. La plupart des chats se précipitent dessus, dans l'espoir d'y faire un petit somme, avant même que vous ayez eu le temps de le vider, n'hésitez donc pas à en utiliser pour son divertissement.

Faites-lui croire qu'un petit animal s'est caché dedans. Attiré par le mouvement, il s'approchera pour attaquer et capturer la forme « vivante » qui s'agite au fond. Plus le jouet lui résiste, plus il s'excite. Combien de temps lui faudra-t-il pour déchiqueter le papier ?

▲ CI-DESSUS Il existe une variété de jouets animés – souris, hamsters, poulets – à piles ou à ressort, qui parcourent la pièce en zigzaguant dès que vous les lâchez par terre.

▼ CI-DESSOUS Les chats sont très sensibles au mouvement et le vôtre ne mettra pas longtemps avant de fourrer sa tête dans le sac à la recherche du poulet titubant !

LA VALSE DES RESSORTS

||||||||||||||||||||||||||||||||||||||||||||||||||||||||||||||||||||||||||||||||||||||||||||||||||

Munissez-vous d'un automate à piles ou à ressort. Vous l'allumez ou le remontez, puis le dissimulez au fond du sac. Repliez un peu le papier sur lui pour qu'il ne sorte pas et que le chat ne puisse pas le voir, puis profitez du spectacle.

▼ CI-DESSOUS Aucun chat digne de ce nom ne peut ignorer le bruit de froissement que fait la souris factice en essayant de sortir de sa cachette.

◄ CI-CONTRE Attention, c'est moaaa ! Ces yeux luisants et ces griffes acérées suffisent à faire décamper la plus intrépide des souris géantes.

▼ CI-DESSOUS Le résultat était prévisible : un chat fatigué mais victorieux, un sac défoncé et un automate inerte.

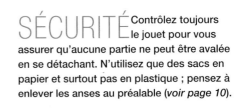

SÉCURITÉ Contrôlez toujours le jouet pour vous assurer qu'aucune partie ne peut être avalée en se détachant. N'utilisez que des sacs en papier et surtout pas en plastique ; pensez à enlever les anses au préalable (*voir page 10*).

▲ CI-DESSUS Attachez des plumes et des jouets autour du sac, par exemple une balle de ping-pong, un anneau de douche en plastique, un bouchon de liège, etc.

Pochette surprise

▼ CI-DESSOUS Privilégiez les sacs épais qui sont plus résistants et ne se déchirent pas lorsque l'on tire sur les ficelles.

Comme un caméléon, l'humble sac en papier peut changer d'aspect à volonté. Les jeunes enfants jouent avec l'emballage de leurs cadeaux ; de même, les chats raffolent du son qu'ils produisent en y posant la patte. Exagérez-en l'attrait en accrochant tout autour et à l'intérieur des joujoux variés que votre petit compagnon pourra choisir pour s'amuser à volonté. Il aura ainsi de quoi fouiller, fouiner, gratter de tous côtés. Il appréciera également le bruit de froissement que fait le sac quand il marche dessus, et aussitôt le jeu terminé, il s'y installera probablement pour une petite sieste.

SÉCURITÉ N'utilisez pas ce genre de matériel sans surveillance. Une ficelle pourrait se détacher et causer de graves problèmes en cas d'ingestion (*voir page 10*).

▲ CI-DESSUS Jetez au hasard deux ou trois jouets à l'intérieur du sac pour que Minou fouille aussi dedans.

▲ CI-DESSUS Ne tendez pas la ficelle pour pouvoir la tirer par endroits et montrer à votre chat qu'elle apparaît et disparaît. Il se précipitera dessus en la voyant bouger.

L'AFFAIRE EST DANS LE SAC

Faites plusieurs trous sur un côté du sac et passez une ficelle ou une corde à travers. Attachez-y deux ou trois jouets différents pour offrir à votre petit compagnon diverses occasions de recherche. Assurez-vous de nouer les deux extrémités à l'intérieur du sac pour qu'il ne puisse pas extraire la ficelle et la mordiller.

Patte mouille

Les chats ont la réputation d'être des amateurs de poisson, et paradoxalement, on connaît leur répulsion naturelle pour l'eau – le simple fait de marcher accidentellement dans une flaque les fait secouer la patte de dégoût. Ce jeu servira de test pour savoir jusqu'où peut aller votre petit félin à la poursuite d'un poisson ; vous serez peut-être surpris du résultat. Il sera certainement intéressé par l'observation du nageur factice dans son bocal, tout comme il le serait devant ceux qui évoluent réellement dans un aquarium. Vous verrez en combien de temps la curiosité l'emportera et s'il accepte de mouiller une patte pour essayer de sortir de l'eau une récompense aussi alléchante.

▲ CI-DESSUS À moins d'avoir un chat Turc de Van (connu pour aimer nager et même plonger en rivière), votre matou est susceptible d'attraper plutôt ce qui flotte en surface.

▶ CI-CONTRE Le poisson orange vif est très visible dans son bocal d'eau claire, bien que les yeux du chat ne perçoivent pas sa couleur de manière aussi éclatante que les nôtres.

▲ CI-DESSUS La queue dressée prouve son attention et son plaisir, alors qu'il vient de remarquer un gentil petit poisson égaré au fond du bocal.

LAISSEZ TOMBER

Pour ce jeu, il vous faut un bocal à poisson rouge ou un récipient de taille équivalente aux trois quarts plein. Un poisson en plastique creux va flotter mais si vous faites le vide d'air, il pourra couler. Pour donner l'illusion qu'il « nage » à mi-hauteur, attachez-le par une ficelle à un caillou que vous laissez tomber au fond du bocal.

▲ CI-DESSUS Il ne pouvait pas approcher plus sans se mouiller le museau ! Voilà qu'il choisit son poisson, comme cela se fait dans les meilleurs restaurants, sauf qu'ici, le choix est limité.

Chapeau magique

Dans ce chapeau de magicien, vous ne verrez point de lapin, mais il fera le bonheur du félin. Recouvert d'un papier d'emballage froissable à souhait, il émet des sons bizarres dès que Monsieur Matou commence à s'y intéresser – il pourrait même abriter quelques souris effarouchées !

Mettez un joujou ou une balle en mousse au fond pour inciter votre petit curieux à aller voir ce qui se passe et à jouer un moment avant de s'y blottir pour une petite sieste. Pas besoin de baguette magique pour le faire sauter dedans et abracada… ronron !

▲ CI-DESSUS Il existe des chapeaux tout prêts dans le commerce, mais si vous fabriquez le vôtre, il sera exactement à la taille que vous choisirez. Le haut-de-forme est excellent pour la sieste, en particulier si vous le garnissez d'un petit coussin.

CHAT-POT

Prenez un poster pour former le cylindre et scotchez-le sur lui-même de haut en bas. Découpez un disque de carton fort pour le rebord et le fond, que vous séparez selon le diamètre du cercle de base avant de les scotcher également tout autour. Collez du papier d'emballage sur les deux faces du cylindre et du fond puis décorez à votre goût.

▲ CI-DESSUS Comme tout objet nouveau dans sa vie, votre chat doit d'abord le flairer pour faire connaissance.

▲ CI-DESSUS L'examen olfactif terminé avec succès, passons à l'étape suivante : grimper à l'intérieur pour satisfaire une curiosité toute naturelle.

◀ CI-CONTRE C'est peut-être un peu trop grand pour moi ? Suspendez un jouet ou lancez-le au fond pour que votre petit magicien explore son chapeau sous un angle nouveau.

Le casanier

A voir un territoire personnel est capital pour votre chat et quand il s'agit de dénicher l'endroit le plus confortable et le plus douillet pour pratiquer son activité préférée, la sieste prolongée, faites-lui confiance. D'une fraîch'hacienda à la villa de Saint Trop', les activités de ce chapitre vont aider votre petit aventurier à trouver la meilleure cachette. Et une fois installé, il pourrait bien se faire oublier pour regarder « Les Aristochats » toute la soirée.

Fraîch'hacienda

Les chats fougueux au sang chaud peuvent se rafraîchir dans leur hacienda pendant l'été. Elle peut s'installer à l'extérieur comme à l'intérieur, l'idéal étant le patio où elle offre un coin ombragé pendant qu'une brise légère circule entre ses arcades. Sous un soleil de plomb, votre matou épuisé se retirera entre ses murs et s'étendra de tout son long pour une sieste bien méritée qui l'emportera dans ses rêves de burritos, de fajitas et des chiquitas du coin.

SÉCURITÉ

Le carton est un matériau sensationnel pour fabriquer des « maisons félines » : on le trouve partout gratuitement, il est facile à travailler et les chats l'adorent. Gardez toutefois la sécurité à l'esprit, n'utilisez ni agrafes ni scotch ni peinture toxique. Positionnez la fraîch'hacienda sur un support stable.

DOUCEUR DE CARTON

Coupez les rabats extérieurs d'une grande boîte en 4 triangles pour former un toit légèrement pointu. Faites-les tenir avec de l'adhésif d'emballage. Recouvrez le toit d'un carton ondulé puis effrangez les bords. Découpez de grandes arches sur deux côtés de la boîte et renforcez l'intérieur. Décorez l'extérieur de bandes ondulées et enfin, attendez patiemment qu'on vienne s'y installer !

▲ CI-DESSUS Propriété privée – défense d'entrer. En se frottant les joues le long des murs, le chat laisse son odeur et s'assure ainsi que les autres matous du quartier sauront qu'il est ici chez lui.

◄ CI-CONTRE Une fraîch'hacienda est le lieu idéal pour se refaire une santé. Les chats passent environ 30 % de leur temps de veille à leur toilette, et plus encore l'été car l'évaporation de leur salive les rafraîchit.

Mon immeuble

Un immeuble pour chats se construit à partir de plusieurs boîtes en carton fixées sur des étagères. C'est la propriété idéale pour le chat des villes – un appartement avec deux ou trois fenêtres, une terrasse sur le toit pour se prélasser au soleil et enfin plusieurs coins et recoins pour marauder. Un ascenseur ? Mais à quoi serviraient ses puissantes pattes arrière ? C'est un rêve pour celui qui aime vivre en hauteur, on peut recevoir des amis félins sans pour autant être dérangé, cette résidence est fantastique. À visiter absolument.

▲ CI-DESSUS Laissez aller votre imagination pour les fenêtres latérales, mais assurez-vous que les portes d'entrée sont assez grandes pour que votre chat puisse les franchir d'un saut.

SÉCURITÉ Votre immeuble doit être solide et stable, sans danger, pour permettre à plusieurs chats de sauter dessus et d'entrer par les fenêtres sans le renverser. Fixez-le contre un mur si vous choisissez de le garder en permanence dans la maison.

IMMEUBLE AMÉNAGÉ

Une petite bibliothèque à quatre étagères sert de base à la construction. Préparez des panneaux de carton fort pour fermer les côtés du meuble et découpez des portes carrées entre les étagères. Procédez de même pour l'arrière et le devant de l'immeuble, en ayant soin de découper pour la façade une fenêtre fantaisie à chaque étage. Percez plusieurs petits trous dans le bois du meuble avant de visser tous les panneaux de carton à leur place.

CI-CONTRE Chérie, je rentre. Sur la pointe des pieds, Monsieur Chat s'apprête à grimper d'un coup de reins directement au deuxième étage pour sa sieste matinale.

CI-CONTRE Si votre immeuble n'est pas fixé au mur, ne déposez de jouets qu'au rez-de-chaussée pour éviter qu'une partie de chasse tumultueuse ne le renverse accidentellement. Installez de la moquette et des coussins pour le confort de la sieste.

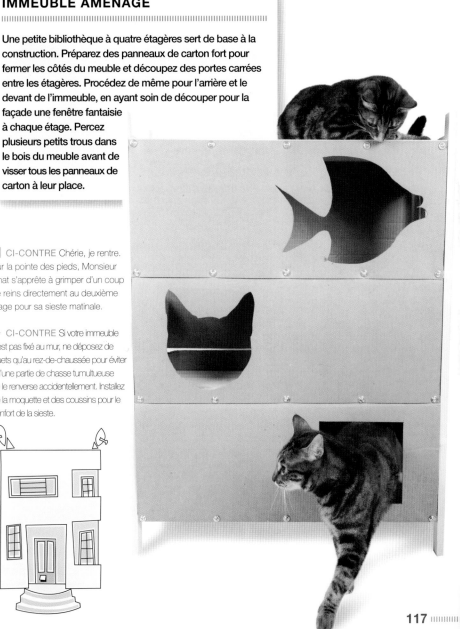

Mon château

Les chats aiment particulièrement s'installer en hauteur pour superviser les événements. Ils s'y sentent en sécurité tout en satisfaisant à leur besoin de toujours savoir ce qui se passe au-dessous. Cette activité offre de nombreuses occasions de s'étirer et de sauter, ce qui aide le casanier à rester actif. Vous pouvez fabriquer un château à partir de matériaux divers que les chats apprécient. Les matous âgés ou obèses peuvent avoir besoin d'un coup de main pour atteindre le sommet où les attend un bon coussin ou une chaise bien arrimée.

▼ CI-DESSOUS Assurez-vous que votre château ne présente aucun danger. Les étages supérieurs doivent supporter le poids de votre chat pendant son escalade et rester en place s'il saute directement dessus.

CHAT PERCHÉ

||||||||||||||||||||||||||||||||||||||||||||||||||||||||||||||||||||||||||||||||||||||||||||||||||||||||||||||

La hiérarchie n'est pas aussi prononcée chez les chats que chez de nombreuses autres espèces ; cependant, en cas de cohabitation, l'un des mâles s'impose grâce à sa force physique ou ses capacités mentales. Les chats ne sont pas aussi sociables que les chiens et préfèrent leur indépendance – ils ne recherchent pas la sécurité du groupe. Leur territoire personnel est ce qui compte le plus pour eux. Évitant la confrontation, ils se battent rarement pour établir leur domination mais plutôt pour conserver leur territoire.

◀ CI-CONTRE La hauteur est un avantage certain lorsque l'on veut faire savoir qui est le chef.

▲ CI-DESSUS Quoi qu'il en soit… le chat trouve toujours le chemin le plus court pour redescendre.

Ma maison de campagne

Avec ses perchoirs, ses grattoirs et ses petites cachettes à explorer et à squatter pour une sieste, l'arbre à chat est interactif 24h/24.

Il offre de nombreuses opportunités de s'étirer, se faire les griffes, sauter d'un niveau à l'autre et même de donner un bon coup de patte à ce coquin de jouet suspendu à mi-hauteur.

De plus, comme les matous adorent observer le monde extérieur, si vous placez l'arbre près d'une fenêtre, le vôtre ne tardera pas à tirer sur les rideaux pour jouer son rôle de voisin curieux. C'est bien dommage que vous ne parliez pas sa langue, sinon il vous raconterait tout sur les allées et venues du quartier.

▲ CI-DESSUS Les piliers recouverts de sisal offrent une bonne prise pour l'escalade d'un perchoir à l'autre et sont très utiles pour se faire les griffes.

▶ CI-CONTRE Toutes ces cavités sombres, ces tunnels et paliers confortables invitent à la sieste, ce qui convient parfaitement aux chats puisqu'ils passent les deux tiers de leur temps à dormir.

CONDITIONS D'INSTALLATION

Quand vous achetez un arbre à chat, veillez à ce qu'il soit solide, stable et capable de supporter les cabrioles d'une boule d'énergie féline. Ils sont pour la plupart recouverts de tissu ou de moquette. Si le vôtre contient des parties en sisal, celui-ci doit être non huilé – c'est la norme – car le sisal huilé est toxique.

▲ CI-DESSUS Dissimulez
quelques joujoux et friandises que
votre chat trouvera en explorant les
recoins de son arbre.

◄ CI-CONTRE Un grand arbre à
chat peut abriter plusieurs matous
qui jouent en même temps.

CHAT EN BOÎTE

|||||||||||||||||||||||||||||||||||||||||||||||||||||||||||||||||||||||||||||||||||||||||||||||||||

Pour un chat de taille moyenne, découpez un porche de 20 cm de côté sur l'une des petites faces d'une boîte en carton, ainsi que deux fenêtres de 10 cm de côté chacune sur l'une des grandes faces. Coupez des brochettes en bois à la taille voulue et enfoncez-les entre les ondulations du carton en haut et en bas, puis collez un rebord de 2,5 cm pour renforcer les fenêtres. Pour la touche finale, affichez si vous le souhaitez un avis de recherche avec une photo de votre chat.

▼ CI-DESSOUS Cela semble un peu étroit, mais les chats aiment se cacher dans de tout petits espaces, ils s'y sentent en sécurité.

▼ CI-DESSOUS Pas besoin de menottes ni de boulet aux pattes, ce chat reste de bon gré en prison.

Ma cellule

Puisque tous les chats aiment se terrer dans les petits coins et se ratatiner dans les endroits les plus minuscules, ils trouveront à leur goût cette version de Fresnes.

Mettez un jouet dans la cellule pour éviter que votre matou ne déprime et à l'heure des visites, les félins fautifs s'amuseront bien plus si vous glissez une plume entre les barreaux plutôt qu'un dossier. En fait, ils apprécieront tellement cette prison que vous aurez beaucoup de peine à les en faire sortir !

▼ CI-DESSOUS Même s'il s'apprête à pénétrer dans le quartier de haute sécurité, cette queue dressée montre qu'il en est heureux et dans un état d'esprit vif et curieux.

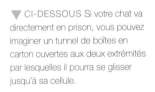

▼ CI-DESSOUS Si votre chat va directement en prison, vous pouvez imaginer un tunnel de boîtes en carton ouvertes aux deux extrémités par lesquelles il pourra se glisser jusqu'à sa cellule.

Si on chattait ?

énéralement, les chats ne lèvent pas la tête de leur coussin pour regarder votre film préféré, mais dressent pourtant l'oreille quand ils entendent le miaulement d'un autre félin à l'écran. Ainsi, la plupart ne peuvent résister aux DVD spéciaux qui leur sont destinés. Les mouvements captent leur attention, alors pourquoi ne pas utiliser votre Caméscope pour enrichir leur propre vidéothèque de scènes de la vie sauvage en action – oiseaux, poissons, insectes et petits rongeurs en train de voler, nager, détaler sous leurs yeux. Le plateau télé idéal !

▲ CI-DESSUS Les chats se moquent de regarder encore et toujours le même film, il est inutile de remplir vos étagères de DVD sur la vie sauvage.

▼ CI-DESSOUS Quelques chats comprennent très vite, alors que d'autres devront être mis devant l'écran plusieurs fois avant de réagir. Certains peuvent même chercher derrière l'appareil d'où vient le son.

EFFETS SONORES

||||||||||||||||||||||||||||||||||||||||||||||||||||||||||||||||||||||||

Pendant la chasse, les chats sont attirés autant par le bruit que par le mouvement, leurs DVD peuvent donc contenir des chants d'oiseaux et des bruits de froissement et de course précipitée. Le paysage varie très peu, puisque c'est surtout l'action des petits animaux sur l'écran qui les intéresse. Certains DVD spécifiques sont enregistrés avec un filtre qui met en valeur les tons et les couleurs correspondant à la vision des chats.

▼ CI-DESSOUS De nombreux chats tentent de s'approcher de l'écran, surtout ceux qui aiment l'interactivité.

◀ CI-CONTRE Ne vous vexez pas si votre chat se met à faire sa toilette en tournant le dos au film après seulement dix minutes. Ils ne peuvent rester concentrés plus longtemps.

SÉCURITÉ

Si vous montrez le DVD sur un ordinateur de bureau, mettez le clavier hors de portée des petites pattes vagabondes ; si vous utilisez un portable, couvrez-le d'un carton rigide. Souvenez-vous que les appareils électriques allumés peuvent provoquer un incendie, ne laissez donc jamais votre chat seul devant son film.

Index

Remerciements

L'auteur souhaite remercier les personnes suivantes pour leur aide précieuse à l'élaboration de ce livre : Emma Frith, Elise Gaignet et Alison Jenkins pour la réalisation des jeux, malgré des instructions parfois floues, et pour l'interprétation des idées « bizarres » de l'auteur : Lynn Bassett, Joanna Clinch, Stephanie Evans, Holly Johnson et Dawn Martin pour nous avoir autorisés à transformer leurs maisons en studios ; Sophie Collins pour ses avis éclairés ; Stephanie Evans pour sa patience et pour la joie d'avoir travaillé avec elle ; Jane Moseley pour le jeu de « patte mouille », les titrages ingénieux, et son soutien indéfectible. Un remerciement particulier pour Nick Ridley pour son talent de photographe à capter le moment idéal.

Merci également aux vraies stars de ce livre – les chats – sans qui rien n'aurait été possible, qui ont accepté de jouer de façon désintéressée (parfois pour obtenir une récompense) face aux lumières, caméra et équipe de tournage.

Alfie   Alice   Ant   Beau   Dec   Hatty

Jeremy   Louie   Molly   Puzzle   Street Bob

Enfin, merci à Sandy, le premier chat tant aimé de l'auteur, qui lui a permis de découvrir le monde des félins ; ainsi que Ginger, qui adore les crevettes, les balades et bien sûr, les jeux de course poursuite.